Primera edición: 1990
Segunda edición: 1991
Tercera edición: 1992
Cuarta edición: 1993
Quinta edición: 1994

Curso de Español para Extranjeros

VEN 1

Francisca Castro Viudez
Agregada
Fernando Marín Arrese
Catedrático
Reyes Morales Gálvez
Agregada
Soledad Rosa Muñoz
Agregada

Coordinadora: M.ª Jesús Calabuig
Catedrática

Diseño gráfico y portada
TD-GUACH
Ilustraciones
TD-GUACH
Maquetación
B. LHOST.
Fotos portadas de Unidad
• Brotons: Unidades 1, 4, 7, 11,12 y 13
• Comunidad de Madrid: Unidades 2, 5, y 14
Fotocomposición GRAMMA

Plaza Ciudad de Salta, 3   28043 Madrid (España)
Telfs.: (1) 416 55 11   (1) 416 53 31   (1) 416 52 18
Fax: (1) 416 54 11

I.S.B.N.: 84-7711-045-X
Depósito legal: M-26273-1.993
Impreso en España / Printed in Spain
Talleres Gráficos Peñalara
Ctra. Villaviciosa a Pinto, km 15,180
Fuenlabrada (Madrid)

FOTOGRAFÍAS Y TEXTOS

P. 49: Plano de México, Ministerio de Transporte de México. Programación TVE, diario ABC. P. 51: Catedral de Sevilla, Barrio de Santa Cruz, Giralda, Junta de Andalucía (Subsecretaría General de Turismo). P. 62: Paella, folleto de España (Secretaría de Turismo). Plato típico argentino, Restaurantes Los Almendros, Alimentos de Andalucía (Oficina General de Turismo). Mercado Sudamericano: Enciclopedia General Básica Ed. Planeta. P. 95: Iñaqui Gabilondo, Tiempo. Marta Sánchez, Hola, Guillermo Pérez Villalta, diario El País, Arantxa Sánchez Vicario, diario ABC. P. 68: Gabriel García Márquez, revista Epoca. P. 72: Mejicana, Méjico. Ed. El País/Aguilar (los libros del viajero). P. 84: Frutería y Carnicería, foto de M. A. Peiffer. P. 85: Indio tejiendo, Gran Enciclopedia España y América, tomo IV (Ed. Espasa Calpe). P. 86: abanicos, revista Ronda (Iberia). Mercadillo al aire libre, revista Geo (Círculo de Lectores). Mercado de artesanos, España de A a Z (Tiempo n.° 17). P. 96: Museo, folleto España (Secretaría General de Turismo). P. 97: Hombres voladores, Calaveras de azúcar de Méjico. Ed. El País/Aguilar (los libros del viajero). Carnaval de Bolivia. Enciclopedia de Latinoamérica (Universidad de Cambridge). P. 108: Estación seca y estación húmeda de Geografía de la sociedad humana, volumen 5 (Ed. Planeta). P. 103: Mapa del tiempo, diario El País. P. 121: Martirio de San Bartolomé, Grandes obras de la pintura universal (Museo del Prado). La noche de los ricos. Mural de la Revolución. Lágrimas de sangre de la Enciclopedia de Latinoamérica (Universidad de Cambridge). P. 148: Puerta del Sol antigua, fotografía de Alfonso. Memorias de Madrid (Ministerio de Cultura). P. 140: Plaza del Rey, Plaza de Cataluña, Folleto turístico de Barcelona (Oficina de Turismo de la Generalitat). Pág. 142: Potosí (Bolivia), oficina de turismo. P. 172: Autorretrato de Picaso, Genios de la Pintura Española (Ed. Sarpe). Eva Perón, Gran Enciclopedia de España y América, Tomo IV (Ed. Espasa Calpe). Emiliano Zapata, Gran Enciclopedia de España y América, Tomo IV (Ed. Espasa Calpe). P. 173: Pancho Villa, Méjico, Ed. El País/Aguilar (los libros del viajero). P. 176: Documentos sobre El Lute, diario El País. P. 178: Fusilamiento de la Moncloa, Guernica, de Genios de la Pintura Española (ED. Planeta).

Fotos Portada: unidades 2, 5 y 14, Comunidad Autónoma de Madrid; 1, 4, 7, 11, 12 y 13, Brotons.

Hemos buscado y solicitado los derechos de las fotografías y textos.
Sus derechos quedan a su disposición en EDELSA/EDI6.

Agradecemos la particular colaboración prestada por la Comunidad Autónoma de Madrid.

PRÓLOGO

Si analizamos el panorama actual en la enseñanza de lenguas, vemos que los alumnos de hoy en día exigen una enseñanza dinámica y participativa, en la que se sientan responsables y conscientes de su propio proceso de aprendizaje; los profesores necesitan materiales actualizados, atrayentes e imaginativos, pero claros y fáciles de manejar.

VEN se ha diseñado como un instrumento útil y completo de trabajo tanto para alumnos como para profesores.

Las características más destacables de este método son las siguientes:

— Integración de actividades comunicativas con la presentación clara y concisa de contenidos gramaticales en orden gradual de dificultad.

— Variedad de actividades y ejercicios, que cubren todos los aspectos de la enseñanza del español: funciones, gramática, vocabulario, pronunciación. También se incluye una introducción a las variaciones léxicas existentes entre los diferentes países de habla hispana.

— Flexibilidad y adaptabilidad a situaciones y alumnos diferentes.

— Un acercamiento a la cultura y civilización de España y de Hispanoamérica.

VEN 1 cubre el nivel elemental. No parte de ningún conocimiento previo del alumno, por lo que resulta apropiado para alumnos principiantes absolutos. No obstante, la flexibilidad en la estructuración de los contenidos hace posible integrar al "falso principiante" en la clase desde el primer momento.

El nivel terminal de VEN 1 se puede definir como "nivel de subsistencia" en el que el alumno es capaz de comprender y expresar ideas básicas y cotidianas, tanto de forma oral como escrita.

Los autores
Madrid, 1990

LEC.	TÍTULO	OBJETIVOS COMUNICATIVOS	OBJETIVOS GRAMATICALES	OBJETIVOS CULTURALES	PRONUNCIACIÓN	LÉXICO
1	ENCUENTROS p. 6	—Saludos informales —Identificación personal —¿Cómo se dice... en español? —Deletrear	—Masculino y femenino de los adjetivos y sustantivos —Presente de Indicativo de ser, llamarse, trabajar, vivir (yo/tú)	Comunidades Autónomas de España Miguel Hernández, un poeta del pueblo	Acentuación y entonación	Profesiones y nacionalidades
2	CON LOS AMIGOS p. 17	—Identificación personal (plural) —Presentación y saludo formal —Dar las gracias —Tú/Usted	—Adjetivos posesivos (I) —Demostrativos (I) —Plural de adjetivos y sustantivos —Presente de Indicativo de ser, trabajar, estudiar y vivir —Números del 0 al 9 (I)	México. Países de Centroamérica. Descubriendo a Dalí, Cela, V. Llosa.	La "j"	Países y nacionalidades de Hispanoamérica
3	¿DÓNDE VIVES? p. 28	—Ubicación de objetos —Descripción de objetos —Preguntar por una cantidad y responder	—Artículos determinados —Números (cardinales y ordinales) —Forma negativa (I) —Presente de Indicativo de estar, tener, poner	Tipos de vivienda en España Casas típicas Pío Baroja, un novelista de la Generación del 98	La "r"	La casa: muebles y objetos
4	POR LAS CALLES p. 41	—Contactar con alguien —Preguntar por una dirección —Ubicación de establecimientos —Dar instrucciones para llegar a un lugar —Preguntar y decir la hora	—Artículos indeterminados —Hay —Presente de Indicativo de ir, venir, coger, seguir, cerrar —Números (II)	Sevilla Velázquez: un pintor sevillano	La "θ"	La ciudad: establecimientos públicos y transportes
5	EN EL RESTAURANTE p. 52	—Pedir la comida —Preguntar el importe —Expresar deseos	—Imperativo formal —Imperativo informal —Presente de Indicativo de gustar, poder, querer y hacer	Hábitos alimenticios Alimentos de España e Hispanoamérica	Acentuación	Alimentos: carnes, pescados, frutas y verduras
6	GENTE p. 63	—Describir a una persona —Hábitos —Preguntar y decir la edad	—Verbos reflexivos levantarse, acostarse —Presente de Indicativo de salir, volver, empezar —Adjetivos posesivos (II)	—Vida familiar —Gabriel García Márquez: el "realismo mágico" —Rómulo Gallegos: un novelista venezolano	Entonación interrogativa	Carácter, acciones habituales Estado civil, la familia
7	DE COMPRAS p. 76	—Describir colores y materiales —Preguntar el precio —Pedir permiso —Llamar la atención —Expresar admiración —Pedir opinión —Expresar preferencias y justificarlas	—Femenino y masculino —Singular y plural de adjetivos —Pronombres personales objeto directo —Verbos con pronombre (me gusta, me parece, me queda) —Presente de Indicativo de preferir, saber	—Gustos y hábitos del español —Objetos típicos españoles —¿Dónde comprar?	La "ñ"	Cantidades y medidas La ropa: colores y materiales
8	INVITACIONES p. 87	—Invitar —Aceptar —Rechazar —Justificarse —Insistir —Concertar una cita —Expresar la obligación —Describir acciones presentes	—Tener + que + infinitivo —Presente continuo —Gerundio —Colocación de pronombres objeto directo —Presente de Indicativo de jugar, oír	—El ocio en España —Pedro Almodóvar: el cine hoy —Fiestas y tradiciones hispanoamericanas	Entonación exclamativa	Lugares de ocio Deportes Meses del año
9	AL AIRE LIBRE p. 98	—Expresar intenciones —Proponer alternativas —Expresar desconocimiento —Expresar probabilidad o duda —Expresar indiferencia —Hablar del tiempo —Expresar incertidumbre	—Marcadores temporales (I) —ir + a + infinitivo —Verbos impersonales —Presente de Indicativo de ir (irse)	—Turismo español: lugares y monumentos de interés —El clima en España y en Hispanoamérica	Acentuación de palabras de tres o más sílabas	Lugares de esparcimiento El tiempo: climas

LEC.	TÍTULO	OBJETIVOS COMUNICATIVOS	OBJETIVOS GRAMATICALES	OBJETIVOS CULTURALES	PRONUNCIACIÓN	LÉXICO
10	¿QUÉ HAS HECHO? p. 111	—Hablar de hechos pasados (I) —Dar excusas —Expresar una acción terminada —Hablar de la salud	—Marcadores temporales (II) —El Pretérito Perfecto —Participios —Pretérito Indefinido (1.ª persona) de estar, ir —Presente de Indicativo de doler	Pintura española e hispanoamericana Velázquez El Greco Dalí Diego Rivera Alfaro Siqueiros Oswaldo Guayasamín	Pronunciación y ortografía C/Z/QU/Q/K	Partes del cuerpo humano La salud
11	AYER p. 122	—Interesarse por el estado de alguien —Describir estados de ánimo —Describir estados de objetos —Hablar de hechos pasados (II)	—Uso de las Preposiciones: EN, A, DESDE, ENTRE, HASTA —Pronombres y adjetivos indefinidos —Forma negativa (II) (nadie, nada) —Pretérito indefinido de estar, ir, ver, tener, hacer, oír	Cantantes españoles: Mecano, Serrat, J. Iglesias, Rocío Jurado Cantantes hispanoamericanos: Mercedes Sosa, Los Calchaquis	Acentuación de las formas verbales	Estados de ánimo, citas
12	EL MAÑANA p. 133	—Hacer proyectos y predicciones —Expresar decepción —Hablar por teléfono —Hacer comparaciones —Pedir una información	—Comparación (I) —Pronombres posesivos (1.ª, 2.ª y 3.ª persona sing.). —Adjetivos demostrativos (II) —El Futuro Imperfecto —Futuro Imperfecto de Indicativo de hacer, tener, poder, venir, poner	Acercándonos a... Bolivia, Paraguay, Uruguay, Chile y Argentina	Pronunciación y ortografía la "g" y la "j"	Conversación telefónica

13	ANTES... y ahora
	
	p. 146
		—Hablar de acciones habituales en el pasado
		—Describir en pasado
		—Expresar alegría
		  sorpresa
		  alivio
		  fastidio/aburrimiento
		  tristeza/compasión
		—Expresar la frecuencia
			—Forma negativa (III) (nunca)
			—Diferentes funciones del verbo "quedar"
			—El Pretérito Imperfecto
			—Pretérito Imperfecto de Indicativo de jugar, tener, decir
			—Pretéritos Imperfectos irregulares: ir, ser
				Acercándonos a...
				México D.F.
					Pronunciación y ortografía la "b" y la "v"	Accidentes geográficos

14	INSTRUCCIONES p. 157	—Expresar obligación en forma personal —Expresar obligación en forma impersonal —Expresar posibilidad/prohibición —Negar (con énfasis) —Expresar que no se da importancia a algo —Ausencia de obligación/de necesidad	—Pronombres personales objeto indirecto —Las condicionales —Hay que + infinitivos —Utilización de "se" —Comparación (II)	La lengua española en el mundo	La "r" y la "rr"	Deportes e instalaciones deportivas
15	ACONTECIMIENTOS p. 168	—Expresar acciones interrumpidas por otra acción —Narrar hechos y contar la vida de una persona —Comparar	—Pretérito Indefinido de leer, morir, nacer —Estructuras comparativas	Hechos históricos: —Fusilamientos de la Moncloa de F. de Goya —El Guernica de P. Picasso —Colón y los Reyes Católicos —Los Reyes de España —España a partir de 1939	Pronunciación fuerte y relajada de la b/d/g	Sucesos y acontecimientos

UNIDAD 1

Fundación Miró. Barcelona
Fotógrafo Brotons.

UNIDAD 1

Título	ENCUENTROS
Objetivos Comunicativos	• Preguntar y decir dónde vives • Confirmar y corregir información • Preguntar por una palabra • Preguntar y decir tu nombre • Presentar y decir el origen • Presentar y decir la profesión
Objetivos Gramaticales	• Masculino y femenino de los adjetivos y sustantivos • Presente de indicativo de ser, llamarse, trabajar, vivir (yo/tú/él)
Objetivos Culturales	• Comunidades autónomas de España • Miguel Hernández, un poeta del pueblo
Pronunciación	• Acentuación y entonación
Léxico	• Profesiones y nacionalidades

bjetivos.

Haciendo amigos

En la fiesta de María.

Carlos: Hola, María, ¿qué tal?
María: Muy bien. ¡Mira!, te presento a una amiga.
Carlos: ¡Hola! Soy Carlos. ¿Cómo te llamas?
Simone: Me llamo Simone.
Carlos: Simone...Simone...¿Eres francesa?
Simone: Sí, y tú, ¿de dónde eres?
Carlos: Soy venezolano.

Luis: ¿Qué haces?, ¿estudias?, ¿trabajas?... ¿O las dos cosas?
Betty: Estudio español y soy decoradora.
Luis: ¿Ah, sí? Pues yo soy diseñador de muebles.
Betty: ¡Qué acento! ¿Eres andaluz?
Luis: Sí, soy de Sevilla.
Betty: Y ¿dónde vives?, ¿en Sevilla?
Luis: No, vivo en Madrid.
Betty: Bueno... ¡Hasta la vista!
Luis: ¡Hasta pronto!

¡tienes la palabra!

Para ayudarte:

ALEMANIA alemán/alemana
ESTADOS UNIDOS norteamericano/a
FRANCIA francés/francesa
ITALIA italiano/italiana
REINO UNIDO inglés/inglesa

camarero/camarera
estudiante/estudiante
profesor/profesora

CONTESTA

1.
¿Cómo se llama la amiga de María? Simone.
¿De dónde es la amiga de María? francesa·
¿Qué nacionalidad tiene Carlos? Venezuela

CONTESTA

2.
¿Qué estudia Betty? Español.
¿En qué trabaja? decoradora
¿En qué trabaja Luis? diseñador de mueble.
¿De dónde es Luis? Sevilla.
¿Dónde vive? Madrid

PRACTICA

3.
A pregunta cómo se llama B.
B contesta.
A pregunta si B es español.
B contesta negativamente.
B dice su nacionalidad.
A pregunta la profesión de B.
B contesta.
A pregunta en qué ciudad vive B.
B contesta.

PRACTICA

4.
A: ¿Cómo te llamas? .... B: Me llamo ....
A: ¿De dónde eres? .... B: Soy de ....
A: ¿Qué haces? .... B: Soy ....
A: ¿Dónde vives? .... B: Vivo en ....

5.

¿Qué tienes que decir para...

... saludar a un amigo?

... saber cómo se llama un compañero de clase?

... saber la nacionalidad de un nuevo amigo?

... despedirte de un amigo?

... saber la profesión de alguien?

B. *Entre amigos*

Simone:	Oye, Luis, ¿cómo se dice "sandwich" en español?
Luis:	Sandwich o bocadillo.
Simone:	¿Cómo?
Luis:	¡Bo-ca-di-llo!

Carlos:	Betty, ¿eres alemana?
Betty:	No, soy inglesa.
Carlos:	¿Trabajas en Londres?
Betty:	Ahora trabajo en Madrid.
Carlos:	¡Estupendo! ¡Hasta pronto, entonces!

¡*tienes la palabra!*

Para ayudarte:

¿Cómo se dice...?
¿Cómo?
¿Eres alemán?
No, soy inglés

Perú — ¿aló?
Chile

Colombia — a ver
Argentina — ¡hola!
Uruguay

México — bueno

1.

Cuando suena el teléfono, en España se contesta "¿Dígame?"

A pregunta cómo se dice "¿Dígame?" en Colombia, Perú, Chile, México y Argentina.

B contesta.

A pide que lo repita.

B repite despacio.

2.

A ¿Cómo te llamas?
B ¿De dónde eres?
C ¿Eres inglesa?
D ¿Dónde vives?
E ¿Qué haces?
F ¿Cómo se dice "bière"/"ale"/"beer"?

1 De Barcelona.
2 Andrés López.
3 En Madrid.
4 No, soy alemana.
5 Soy diseñadora.
6 Se dice cerveza.

C. *Cajón de sastre: abecedario*

Escucha y repite el nombre de las letras:

A (a)	B (be)	C (ce)	Ch (che)	D (de)
E (e)	F (efe)	G (ge)	H (hache)	I (i)
J (jota)	K (ka)	L (ele)	Ll (elle)	M (eme)
N (ene)	Ñ (eñe)	O (o)	P (pe)	Q (cu)
R (ere, erre)	S (ese)	T (te)	U (u)	V (uve)
W (uve doble)	X (equis)	Y (i griega)	Z (zeta)	

A. ¿Cómo te llamas?
B. Luis Verdaguer.
A. ¿Cómo se escribe?
B. V-E-R-D-A-G-U-E-R.

¡tienes la palabra!

1. *López Marín, Moreno Benítez*
Escucha la cinta y escribe los apellidos. Léelos.

2. *García.*
En parejas. El alumno A deletrea su apellido y el alumno B lo escribe.

tienes que saber...

¿Cómo...?

• **PREGUNTAR Y DECIR EL NOMBRE**	A. ¿Cómo te llamas? B. Me llamo...
• **PRESENTAR Y DECIR EL ORIGEN**	A. ¿De dónde eres? B. Soy español. De Madrid
• **PREGUNTAR Y DECIR LA PROFESIÓN**	A. ¿Qué haces? B. Soy diseñadora.
• **PREGUNTAR Y DECIR DÓNDE VIVES**	A.¿Dónde vives? B. Vivo en...
• **CONFIRMAR Y CORREGIR INFORMACIÓN**	A. ¿Eres andaluz? B. Sí, soy andaluz. A. ¿Vives en Londres? B. No, vivo en Valencia.
• **DELETREAR**	
• **PREGUNTAR POR UNA PALABRA EN ESPAÑOL**	A. ¿Cómo se dice... en español?

Gramática

MASCULINO	FEMENINO
profesor	profesora
español	española
camarero	camarera
sevillano	sevillana
estudiante	estudiante

Verbos en PRESENTE

SER	LLAMARSE	TRABAJAR	VIVIR
(yo) soy	me llamo	(yo) trabajo	(yo) vivo
(tú) eres	te llamas	(tú) trabajas	(tú) vives
(él) es	se llama	(él) trabaja	(él) vive

amplía tu vocabulario

estudiante
director/a
médico/a
diseñador/a
peluquero/a
enfermero/a
empleado/a
cantante

español/a
alemán/
   alemana
italiano/a
portugués/
   portuguesa
sueco/a
danés/
   danesa
suizo/a
noruego/a
finlandés/
   finlandesa
belga
holandés/
   holandesa
griego/a
ruso/a
japonés/
   japonesa
chino/a

....
....
....
....
....

 tienes que saber...

1. Escucha la cinta y relaciona con los dibujos.

Juan - Medico

Camarero - Sevilla

Maria - soy Prof. Español

Vivo en la Coruña.

2. Escucha las preguntas del policía. Contesta SÍ o NO.

Nació en _Madrid_ prov. ____
el _22_ de _abril_ de 19 _63_ Hijo de _Fernando_
y de _Amalia_ E. civil ____ Prof. ____
domic. en _Madrid_ prov. ____
calle _Rodriguez Marín_ n.° _69_
Issue Expedido en _Madrid_ prov. ____
el día _22_ de _dic._ 19 _88_ Caduca a los 5 años → 1993
Gr. sanguíneo: ____
SEXO: _V._   Firma del titular,

	1	2	3	4	5
SÍ	✓			✓	✓
NO		✓	✓		

3. Rellena este impreso con tus datos personales.

foto	**Escuela de Idiomas de**

MADRID

N° matrícula _____ Curso 19 ____ a 19 ____

Curso _____ Horas _____

Nombre _____
Apellidos _____
Nacionalidad _____ n° pasaporte _____
Domicilio en Madrid _____
_____ n° teléfono _____

4. Forma frases tomando un elemento de cada columna.

te	soy	Luis
—	trabajo	estudiante
me	llamas	Rosa
—	llamo	andaluza
—	eres	en Madrid

actividades.

pronunciación.

estudiante
policía
Ávila
Bilbao
americano
azafata
bocadillo
camarero

— ¿Cómo te llamas?
— María de la O.
— ¿Eh?
— O.
— ¡Ah!

escubriendo...

DESCUBRIENDO

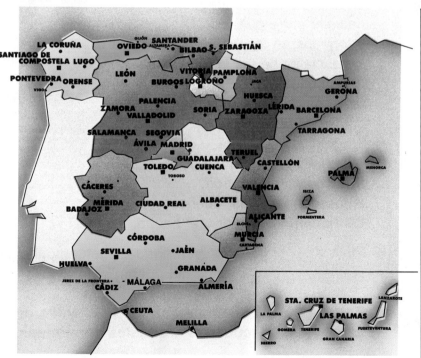

madrileño/
madrileña
barcelonés/
barcelonesa
valenciano/
valenciana
sevillano/
sevillana
andaluz/
andaluza
catalán/
catalana
aragonés/
aragonesa
vasco/
vasca

¿Qué otras ciudades y regiones españolas conoces?

descubriendo...

El castellano, conocido como español, es la lengua oficial de España, como lo son también el catalán, el euskera, el gallego, etc... en sus respectivas comunidades autónomas.

Barcelona

Santiago de Compostela

Madrid

San Sebastián

Asturianos de braveza,
vascos de piedra blindada,
valencianos de alegría
y castellanos de alma,
labrados como la tierra
y airosos como las alas;
andaluces de relámpagos,
nacidos entre guitarras
y forjados en los yunques
torrenciales de las lágrimas;
extremeños de centeno,
gallegos de lluvia y calma,
catalanes de firmeza,
aragoneses de casta,
murcianos de dinamita
frutalmente propagada,
leoneses, navarros, dueños
del hambre, el sudor y el hacha.

Miguel Hernández, poeta español (1910-1942)
"Vientos del pueblo"

En este poema se describen los habitantes de distintas regiones españolas. Descúbrelos y sitúalos en el mapa.

UNIDAD 2

Plaza Mayor Madrid
Fotografía: Comunidad Autónoma de Madrid

UNIDAD 2

Título

Objetivos Comunicativos

Objetivos Gramaticales

Objetivos Culturales

Pronunciación

Léxico

CON LOS AMIGOS

- Saludar formal e informalmente
- Dar las gracias
- Preguntar y dar informaciones

- Adjetivos posesivos (I)
- Demostrativos (I)
- Plural de adjetivos y sustantivos
- Presente de indicativo de ser, trabajar, estudiar y vivir
- Números del 0 al 9 (I)

- México. Países de Centroamérica
- Descubriendo a DALI, CELA, V. LLOSA
- Descubriendo a José MARTI, poeta cubano

- la ''j''

- Países y nacionalidades de Hispanoamérica

Objetivos.

A. ¡Te presento a unos amigos!

Esta es Carmen.
Carmen y yo somos compañeros de trabajo.
Trabajamos en un banco.

Este es Miguel.
Trabaja en una compañía de seguros.
Es argentino.
Miguel y yo somos amigos.

Estos son Lorena y Francisco.
Son salvadoreños.
Viven en San Salvador.
Son economistas.

Estas son Gina y Lucía.
Son italianas.
Son compañeras de clase.
Estudian español.

¡tienes la palabra!

Para ayudarte:

	SINGULAR	PLURAL
MASCULINO	est**e**	est**os**
FEMENINO	est**a**	est**as**

Yo trabaj**o**/viv**o** ....
Miguel es ....
Carmen y yo viv**imos** ....
Lorena y Francisco trabaj**an** ....

En grupos de cuatro:

Imaginad nombres, nacionalidad y profesión de cada uno.

• Un miembro presenta el grupo a la clase.

Ejemplo: *Este es Pedro*
Es de San Sebastián
Es español
Es ingeniero

B. ¡Hola! ¿qué tal? ¿Cómo está usted?

Carmen se encuentra con Lorena y Francisco.

Carmen: ¡Hola! Vosotros sois Lorena y Francisco, ¿no?
Lorena: Sí. Y tú, ¿cómo te llamas?
Carmen: Yo soy Carmen. ¿Qué tal?
Francisco: ¡Hola, Carmen! ¿Qué tal?
Carmen: ¿Sois colombianos?
Francisco: No, somos salvadoreños.
Carmen: ¿Vivís en España?
Lorena: No, estamos de vacaciones.
Carmen: ¡Pues bienvenidos a España!
Franc. y Lorena: ¡Gracias!

Lorena y Francisco hablan con el señor Muñoz, director de un banco.

Lorena: Buenos días, señor Muñoz.
Sr. Muñoz: ¡Buenos días! ¿Cómo está usted?
Lorena: Muy bien, gracias. Este es el señor Castro.
Sr. Muñoz: Mucho gusto, señor Castro.
Francisco: Mucho gusto.
Sr. Muñoz: Son ustedes economistas, ¿no?
Lorena: Sí, trabajamos en un banco en San Salvador...

¡tienes la palabra!

En parejas:
* Usad nombres, nacionalidades y profesiones imaginadas en TIENES LA PALABRA A
* Hablad con otras parejas:
  - Presentando.
  - Saludando.
  - Preguntando nombres, nacionalidades y profesiones.
  - Respondiendo a las preguntas.

C. *Cajón de sastre: números*

¡tienes la palabra!

Para ayudarte:

¿Cuál es su número de teléfono, señor Arribas?
  El 200 43 95

¿Cuál es tu número de teléfono, Miguel?
  Mi número de teléfono es el 423 56 80

¿Cuál es el teléfono de la Policía?
  Es el 091

1. Pregunta el número de teléfono a cuatro compañeros/as.

NOMBRE	N.º DE TELEFONO

405 12 13

205 83 43

429 05 18

091

230 63 00

2. En parejas, A pregunta los siguientes números de teléfono y B contesta.

1) Aeropuerto
2) Ambulancias
3) Policía
4) Radio-Taxis
5) Estación de ferrocarril

¿Conoces los teléfonos de los servicios de interés y urgencias de tu ciudad?

¿Cómo...?

• **PRESENTAR A ALGUIEN**	este/esta es...	estos/estas son...
• **SALUDAR** • INFORMALMENTE	A. Hola, (¿qué tal?)	B. Hola (¿qué tal?)
• DE FORMA INDISTINTA	A. Buenos días	B. Buenos días
• FORMALMENTE	A. ¿Cómo está usted?	B. (muy) Bien, gracias (¿y usted?)
• **EN PRESENTACIONES**	A. Mucho gusto	B. Mucho gusto
• **DAR LAS GRACIAS**	(Muchas) gracias	
• **PREGUNTAR Y DECIR EL NÚMERO DE TELÉFONO**	A. ¿Cuál es tu número de teléfono? ¿Cuál es su número de teléfono, Sr. Castro? B. (Mi número de teléfono) es el...	

Gramática

• **DEMOSTRATIVOS**

	SINGULAR	PLURAL
MASCULINO	est**e**	est**os**
FEMENINO	est**a**	est**as**

• **POSESIVOS**

	1.ª Pers.	2.ª Pers.	3.ª Pers./usted
MASCULINO FEMENINO	MI	TU	SU

• **PLURAL** de adjetivos y nombres:

singular terminado en **-a, -e, -o**: se añade **-s**
arquitecto - arquitectos; venezolana - venezolanas

singular terminado en consonante: se añade **-es**
español - españoles; profesor - profesores

VERBOS en PRESENTE

	SER	LLAMARSE	ESTUDIAR
yo	soy	me llamo	estudio
tú	eres	te llamas	estudias
él, ella/Vd.	es	se llama	estudia
nosotros	somos		estudiamos
vosotros	sois		estudiáis
ellos/ellas/Vds.	son		estudian

	TRABAJAR	VIVIR
yo	trabajo	vivo
tú	trabajas	vives
él, ella/Vd.	trabaja	vive
nosotros	trabajamos	vivimos
vosotros	trabajáis	vivís
ellos/ellas/Vds.	trabajan	viven

LÉXICO

amplía tu vocabulario

Cuba	cubano/a	Méjico	mejicano/a
Colombia	colombiano/a	Nicaragua	nicaragüense
Costa Rica	costarricense	Panamá	panameño/a
Guatemala	guatemalteco/a	El Salvador	salvadoreño/a
Honduras	hondureño/a	Venezuela	venezolano/a

¡OJO! Diferencias entre el español de España y el español de Hispanoamérica:

En Hispanoamérica no se dice ''vosotros'', se usa ''USTEDES'':
  Ej.: ustedes son buenos amigos.

En Centroamérica, Colombia, Ecuador, Paraguay, Uruguay y Argentina no se dice ''tú'', se usa ''VOS''.
  Ej.: VOS eres/sos muy simpático (Argentina).
    Tú eres muy simpático (España).

1.

Lee el texto:
Habla una directora de banco.

«Me llamo Felisa. Soy de Valencia. Soy directora de un banco. Mi trabajo es interesante pero duro. Trabajo muchas horas.

Por las tardes tengo clases particulares de inglés en mi casa. El inglés es muy importante para mí. Mi profesor es norteamericano. Las clases son muy divertidas.

Los fines de semana descanso y leo mucho...»

Comprensión del texto:
1) ¿Cómo se llama la directora?
2) ¿De dónde es?
3) ¿Qué estudia?
4) ¿Cómo es su trabajo en el banco?
5) ¿Qué hace los fines de semana?

2.

¿Qué sabes de estas personas? Preséntalas.

3.

Escucha la conversación, completa el cuadro:

Nombre	Profesión	¿De dónde es?	Nº de tfno.	Vive en...

4.

Escribe una carta a tu "amigo/a por correspondencia". Le mandas esta foto de un amigo.
Explica quién es, su nombre, profesión, etc.

a **ctividades.**

p ronunciación.

Juan
trabajo
Julio
trabajas
Javier

"ja, ja, ja"

"je, je, je"

"ji, ji, ji"

d escubriendo...

DESCUBRIENDO

GUANTANAMERA

Yo soy un hombre sincero
de donde crece la palma,
y antes de morirme quiero
echar mis versos del alma.

Mi verso es de un verde claro
y de un carmín encendido,
mi verso es de un ciervo herido
que busca en el monte amparo.

Con los pobres de la tierra quiero yo mi suerte echar.
El arroyo de la sierra
me complace más que el mar.

José Martí.

**Estos versos de José Martí, escritor cubano (1853-1895)
han sido cantados por muchos artistas.
Es una canción muy conocida en España e Hispanoamérica.**

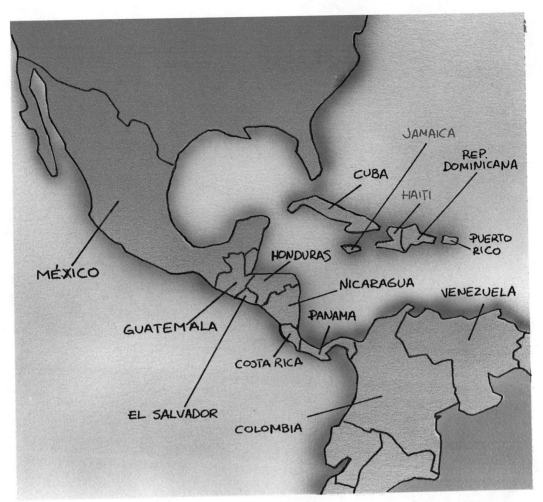

descubriendo...

País	Extensión Km²	Población Mill.	Moneda
México	1.972.000	80	Peso mexicano
Colombia	1.139.000	29	Peso Colombiano
Venezuela	912.000	17,7	Bolívar
Nicaragua	130.000	3,3	Córdoba
Cuba	114.000	10	Peso
Honduras	112.000	4	Lempira
Guatemala	108.000	8	Quetzal
Panamá	77.000	2,2	Balboa
Costa Rica	50.000	2,6	Colón
Rep. Dominicana	48.000	6	Peso
El Salvador	21.000	5	Colón
Puerto Rico	8.800	3,3	Dólar USA
	4.691.800	171,1	

UNIDAD **3**

Barrio de la Boca Buenos Aires (Argentina).

UNIDAD 3

Título

¿DÓNDE VIVES?

Objetivos Comunicativos

- Preguntar por una cantidad y responder
- Localizar objetos
- Describir objetos

Objetivos Gramaticales

- Artículos determinados
- Números (cardinales y ordinales)
- Forma negativa (I)
- Presente de indicativo de estar, tener, poner

Objetivos Culturales

- Tipos de vivienda en España e Hispanoamérica
- Casas típicas
- Pío Baroja, un novelista de la Generación del 98
- Eduardo Galeano: Las venas abiertas de América Latina

Pronunciación

- la "r"

Léxico

- La casa: muebles y objetos

Objetivos.

Buscamos un piso

Agente: Pasen... pasen. Este piso es bastante grande. Primero está el recibidor. A la derecha están los dormitorios y a la izquierda, el salón.
Ana: ¿Cuántos dormitorios tiene?
Agente: Tres. Uno grande y los otros dos más pequeños.
Sergio: No está mal. Y el cuarto de baño, ¿dónde está?
Agente: Allí, al fondo del pasillo, al lado del dormitorio grande. La cocina está aquí mismo, a la izquierda.
Ana: Oiga... ¿Cuánto es el alquiler?
Agente: Bueno, bien,... ahora hablamos del precio.

¡tienes la palabra!

Para ayudarte:

¿Dónde está(n)...?
está(n) aquí/allí
al fondo (de)
al lado (de)
a la izquierda
a la derecha

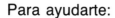

el dormitorio/la cocina
los dormitorios/las cocinas

a + el ⟶ al
de + el ⟶ del

¿Cuántos dormitorios tiene? Tres.
¿Cuánto es el alquiler? ....

1. En parejas.
    A dibuja el plano de una casa.
    B hace preguntas a A para saber cómo es la casa.
    A va contestando a B.
    B dibuja un plano con las informaciones que le da A.
    A y B comparan sus planos y corrigen el plano de B...
    si hay errores.

2. Compara la habitación de Juan con la habitación de Luis.

La habitación de Juan

La habitación de Luis

el teléfono está ....
la cama ....
los zapatos ....
los libros ....
la radio ....

B. *La casa de Sergio*

Javier: te voy a contar cómo vivo en Madrid. Espero que te guste.

Vivo en la calle Arenal, en un edificio antiguo, muy bonito. Tiene cuatro pisos y nosotros vivimos en el tercero. Mi casa no es muy grande pero es cómoda. Tiene tres dormitorios, un salón, la cocina y un cuarto de baño. Es un piso exterior muy alegre. Está en una calle bastante tranquila. Sólo tiene dos problemas: en invierno la casa es fría y en verano muy calurosa; además tengo unos vecinos muy, muy ruidosos.

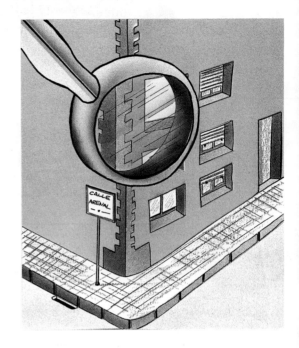

¡tienes la palabra!

Para ayudarte:

| antiguo ≠ moderno |
| grande ≠ pequeño |
| cómodo ≠ incómodo |
| exterior ≠ interior |
| bonito ≠ feo |
| tranquilo ≠ ruidoso |
| alegre ≠ triste |
| frío ≠ caluroso |

MUY BONITO + + +
bastante bonito + +
bonito +

1. Cuéntanos cómo es tu casa; señala las diferencias con la casa de Sergio.
Ejemplo: *Mi casa no es antigua, es (bastante) moderna...*

2. ¿Cómo son estos coches? Descríbelos.

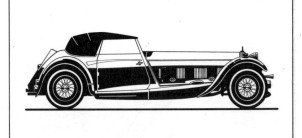

Cajón de sastre: ¡más números!

ESCUCHA Y REPITE

1. Números (del 10 al 20):   10 11 12 13 14 15 16 17 18 19 20

ESCUCHA ESTAS FRASES

2. En cada frase aparece un número. <u>Subráyalo</u>

- Tenemos diez dedos en las manos.
- Un equipo de fútbol tiene once jugadores.
- El año tiene doce meses.
- El número trece da mala suerte.
- Mi habitación del hotel es la catorce.
- Tengo quince días de vacaciones.
- El monasterio del Escorial es del siglo dieciséis.
- Somos diecisiete vecinos en la casa.
- Juan tiene dieciocho años. Ya puede votar.
- La Universidad Autónoma está a diecinueve kilómetros de Madrid.
- Somos veinte alumnos en esta clase.

¡tienes la palabra!

1.

Haz una frase utilizando uno de estos números.
Escucha las frases de tus compañeros y apunta los números.

2.

En parejas.
A pregunta dónde vive cada vecino y B responde.

Alonso	Morales
Gómez	Rosal
Toro	Marín
Castro	Muñoz

3.

En grupos:
A mira el directorio y responde a las preguntas.
B,C,D... preguntan por algunos objetos:
    Ej.: B. *¿Las lámparas, por favor?*
    A. *En la sexta planta.*

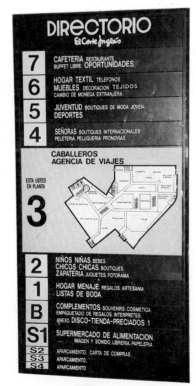

¿Cómo…?

• **PREGUNTAR POR UNA CANTIDAD Y RESPONDER**	A. ¿Cuántas habitaciones tiene? B. Tres
• **PREGUNTAR Y DECIR DÓNDE ESTÁN LAS COSAS O PERSONAS, EN RELA- CIÓN A OTRAS**	A. ¿Dónde está el cuarto de baño? B. Al fondo del pasillo
• **DESCRIBIR OBJETOS (UNA CASA, LOS MUEBLES)**	Este piso es muy grande, es moderno...

CONTENIDO LINGÜÍSTICO

Gramática

Artículos:

EL	LA
LOS	LAS

A + EL = AL
DE + EL = DEL

Al lado **del** sofá

Números:

Cardinales: once, doce, trece, catorce, quince, dieciséis, diecisiete, diecio- cho, diecinueve y veinte.

Ordinales: primero, segundo, tercero, cuarto, quinto, sexto, séptimo, octa- vo, noveno y décimo.

piso primero   planta primera

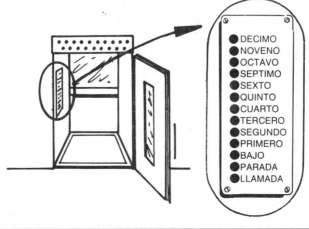

DECIMO
NOVENO
OCTAVO
SEPTIMO
SEXTO
QUINTO
CUARTO
TERCERO
SEGUNDO
PRIMERO
BAJO
PARADA
LLAMADA

Forma negativa de los verbos:

Mi casa **no** es muy grande.

Algunos verbos más en presente:

ESTAR	TENER	PONER
estoy	tengo	pongo
estás	tienes	pones
está	tiene	pone
estamos	tenemos	ponemos
estáis	tenéis	ponéis
están	tienen	ponen

LÉXICO

amplía tu vocabulario

¡OJO! Léxico de América
bonito/lindo
el coche/el auto, el carro
el apartamento/el departamento
el cuarto/la pieza
el ascensor/el elevador
la mesita de noche/la mesita de luz (Argentina), el buró (México)

Partes de la casa

el comedor
el salón
la cocina
el pasillo
el cuarto de baño
la habitación
el dormitorio
la terraza

Muebles y objetos

el armario
la cama
la alfombra
el cuadro
el sofá
la silla
el espejo
la ducha
la mesa
la lámpara
las llaves
las cortinas
la mesilla de noche

(En el margen izquierdo, vertical:) tienes que saber...

1.

Mira estas dos habitaciones. Di cuáles son las diferencias

Dibujo A

Dibujo B

Ej.: en el dibujo B, la mesa es pequeña.

2.

Escribe una carta a un amigo describiendo tu casa, como hace Sergio (Página 31).

_____

_____

_____

_____

3.

Ana y Sergio alquilan el piso y hacen la mudanza. Sigue las instrucciones de Ana y coloca los muebles en el plano de la casa escribiendo los números:

1. el sofá
2. los sillones
3. la lavadora
4. la cama de matrimonio
5. la cama pequeña
6. la mesa, las sillas
7. la estantería

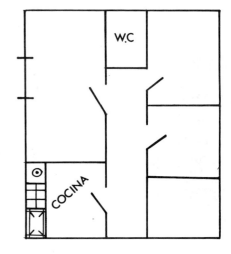

4.

Escucha y apunta dónde vive cada familia.

Martínez ....

Monteviejo ....

Alarcón ....

Gómez ....

Oquendo ....

actividades.

pronunciación.

barrio
ruidoso
Rodríguez
radio

«El perro de San Roque
no tiene rabo
porque Ramón Ramírez
se lo ha cortado».

¿Qué sonidos podrías imitar utilizando la «r»?

descubriendo...

DESCUBRIENDO

Vivir en España

En España, en las ciudades, la mayor parte de la gente vive en bloques de pisos. Una modalidad de piso es el apartamento, que es mucho más pequeño y en el que pueden vivir una o dos personas solamente.

El chalé es una casa unifamiliar con jardín. La modalidad de chalés adosados es relativamente moderna en España.

Según las zonas de España, hay diversos tipos de viviendas rurales:
el «caserío» en el País Vasco, la «barraca» en Valencia y Murcia, la «masía» en Cataluña...

Vivir en Hispanoamérica

A los bogotanos y caraqueños les gusta vivir en casas con patios y muchas flores. También viven en bloques de apartamentos o rascacielos. Los habitantes de la ciudad de México, Bogotá, Lima o Caracas que han emigrado del campo a la ciudad y que son generalmente muy pobres, viven en chozas y en casas pequeñas. Como escribe Eduardo Galeano: «En los cerros de Caracas, medio millón de olvidados contempla, desde sus chozas armadas de basura, el derroche ajeno».

Chalés adosados. Madrid

Caserío vasco

Patio colonial. México

Rascacielos. Caracas (Venezuela).

Al pasar en el tren o en el coche por las provincias del Norte, ¿no habéis visto casas solitarias que, sin saber por qué, os daban envidia? Parece que allá dentro se debe vivir bien, se adivina una existencia dulce y apacible; las ventanas con cortinas hablan de interiores casi monásticos de grandes habitaciones amuebladas con arcas y cómodas de nogal, de inmensas camas de madera.

Pío BAROJA. **Vidas sombrías**

Caracas, la capital de Venezuela, creció siete veces en treinta años; la ciudad patriarcal de frescos patios, plaza mayor y catedral silenciosa se ha erizado de rascacielos en la misma medida en que han brotado las torres de petróleo en el lago de Maracaibo. Ahora, es una pesadilla de aire acondicionado, supersónica y estrepitosa...

Eduardo Galeano
Las venas abiertas de América Latina

¿Qué diferencias ves entre la vida en un caserío y en un apartamento de Caracas?

TEST 1

Repaso unidades 1, 2 y 3

1. Completa:

a. A. ¿Qué *haces*.?
   B. Soy azafata.

b. A. ¿. . . . . . colombianos?
   B. No,. . . . . . salvadoreños.
   A. Y ¿. . . . . . en España.
   B. No,. . . . . . en S. Salvador.

c. A. Buenos días, ¿cómo. . . . . . usted?
   B. Muy bien, gracias.

d. A. ¿Cómo. . . . ?
   B. Carmen, ¿y tú?

e. A. ¿Vd. . . . . economista?
   B. No,. . . en un banco.

f. A. ¿Dónde. . . . Vds.?
   B. . . . . en una compañía
      aérea.

2. Completa con SER/ESTAR:

a. Este piso. . . . *es*. . . . . . . bastante grande.
b. La cocina. . . *está*. . . . . al fondo del pasillo.
c. Los sillones. . . *son*. . . . . bastante bonitos.
d. A. ¿Dónde. . . *están*. . . mis libros?
   B. Aquí.
e. Estos zapatos. . *son*. . . . . . . muy incómodos.
f. A. ¿Dónde. . . . . *está*. . . el teléfono?
   B. Al lado de los libros.
g. A. ¿De dónde. . . . *son*. . . . . Vds.?
   B. De Buenos Aires.
h. Mi casa. . . . *está*. . . . . . muy calurosa.
i. María. . . . . *es*. . . . . . estudiante.
j. Andrés y Antonio. . *están*. . . . . en la cocina.

3. ¿Dónde está el gato?

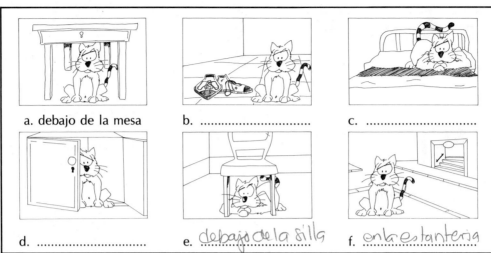

a. debajo de la mesa

b. ....

c. ....

d. ....

e. *debajo de la silla*

f. *en la estantería*

4. Escribe el piso:

Piso	puerta	
a. 3.º	3.ª	tercero tercera
b. 5.º	A	*Quinto A*
c. 7.º	B	*Septimo B*
d. 3.º	dcha.	*tercera derecha*
e. 1.º	1.ª	*primero/primero*
f. 4.º	2.ª	*Cuarto segundo*
g. 7.º	izda.	*Septimo izquierdo*
h. 9.º	5.ª	*noveno quinta*

5. Escribe el número:

a.	Nueve	9			
b.	quince	_____	g.	once	_____
c.	doce	_____	h.	catorce	_____
d.	diez	_____	i.	veinte	_____
e.	ocho	_____	j.	siete	_____
f.	dieciséis	_____	k.	diecinueve	_____

6. Completa:

Mi *casa* . es bastante grande. Tiene cuatro *dormitorios*, un *salón*, un cuarto de baño y la *cocina*. En mi dormitorio tengo una *cama*, una *mesita* de noche, una *mesa* para estudiar y dos *estanterías* con libros. En el comedor tenemos una *mesa*, seis sillas y dos *sillones* muy cómodos.

UNIDAD 4

Callejón de las Flores Córdoba
Fotógrafo Brotons.

UNIDAD 4

Título

POR LAS CALLES

Objetivos Comunicativos

- Dirigirse a un desconocido
- Preguntar por una dirección
- Dar instrucciones para llegar a un lugar
- Preguntar y decir la hora

Objetivos Gramaticales

- Artículos indeterminados
- Hay...
- Presente de indicativo de ir, venir, coger, seguir, cerrar
- Números (II)

Objetivos Culturales

- Moverse por la ciudad
- Sevilla

Pronunciación

- la / $\ominus$ /

Léxico

- La ciudad: establecimientos públicos y transportes

¿*Hay una farmacia cerca?*

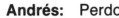

Andrés: Perdone, ¿hay una farmacia cerca?

... Sí, hay una cerca de aquí, en la calle Sorolla.

Andrés: Por favor, ¿cómo se va?

... Sigue todo recto, coge la segunda calle a la derecha y luego la primera a la izquierda. Allí está.

Andrés: Gracias. Muy amable.

... De nada.

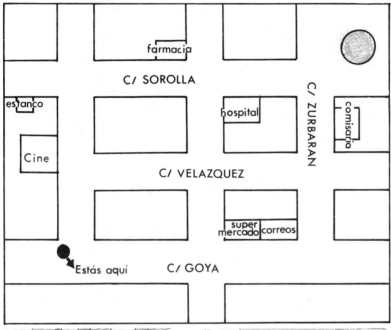

¡*tienes la palabra!*

En parejas: Pregunta a tu compañero por el supermercado, hospital, farmacia, estanco...

Ejemplo: A. *¿Hay un supermercado cerca?*

B. *Sí, hay uno en la calle...*

A. *¿Cómo se va?*

B. *Sigues... coges...*

B. *¿Cómo voy a tu casa?*

Andrés:	¿Vienes esta tarde a mi casa?
Juan.	De acuerdo. Y, ¿cómo voy? ¿en metro o en autobús?
Andrés.	Mejor en autobús. Coges el 16 y te bajas en la tercera parada, en la Plaza de España; atraviesas la plaza y al lado de un supermercado está mi casa.
Juan.	¡Qué lío! ¿Qué calle es?
Andrés.	No es ningún lío. Es muy fácil. Es el número diez de la calle Leganitos.
Juan.	Bien. ¿Y a qué hora voy?
Andrés.	A las siete o a las siete y media.
Juan.	Vale. ¡Hasta luego!

¡tienes la palabra!

Para ayudarte:

> A. ¿Cómo voy a tu casa?
> B.   en autobús
>   en metro
>   en taxi
>   andando
>   coges el autobús
>   te bajas en...

1. En parejas. A. pregunta a B si quiere ir a su casa.
B. contesta afirmativamente y pregunta dónde vive A.
A. contesta.
B. pregunta cómo va a la casa de A.
A. contesta señalando un medio de transporte.
B. pregunta a qué hora va.
A. contesta.
A y B se despiden.

C. *Cajón de sastre: la hora y más números*

A. ¿Qué hora es?/ ¿Qué hora tienes?
   Mira el reloj.

Los minutos

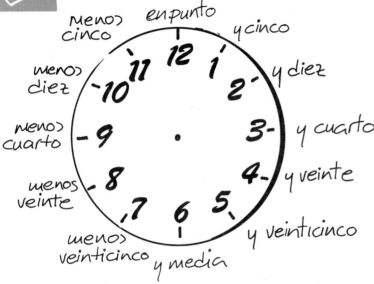

menos cinco · en punto · y cinco
menos diez · y diez
menos cuarto · y cuarto
menos veinte · y veinte
menos veinticinco · y veinticinco
menos media · y media

B. Es la una.

B. **Son** las dos.

B. Son las dos menos diez.

B. Son las siete y diez.

HORARIO
9.30 — 12.45
5.00 — 20.00

farmacia de guardia

- ¿A qué hora abren las farmacias?
- A las nueve y media.

¡más números!

10 diez	300 trescientos/as
20 veinte	400 cuatrocientos/as
30 treinta	500 quinientos/as
40 cuarenta	600 seiscientos/as
50 cincuenta	700 setecientos/as
60 sesenta	800 ochocientos/as
70 setenta	900 novecientos/as
80 ochenta	123 ciento veintitrés
90 noventa	105 ciento cinco
100 cien	1.534 mil quinientos
200 doscientos/as	treinta y cuatro

¡tienes la palabra!

1. En parejas. A: dibuja la esfera de un reloj con una hora y la enseña a B.

B: dice la hora dibujada.

Ejemplo: A: ¿Qué hora es?

B: Son las dos y cuarto.

2. ¿A qué hora abren y cierran en tu país...

— los bancos
— las farmacias
— Las oficinas de Correos
— los grandes almacenes
— los supermercados
— los museos
— los bares?

3. Observa el horario de salidas y llegadas de Vuelos Internacionales.

SALIDAS				LLEGADAS			
vuelo	destino	hora	puerta	vuelo	procedencia	hora	puerta
356	SANTIAGO	19.35	4	208	MONTEVIDEO	20.05	1
312	NUEVA YORK	19.55	2	347	BOGOTA	20.30	2
427	LIMA	20.40	3	513	MADRID	21.15	1
298	B. AIRES	21.50	4	656	LONDRES	22.00	2

En parejas: 1) A. ¿A qué hora llega el avión de Bogotá?

B. A las veinte treinta.

2) A. ¿Qué vuelo va a Nueva York?

B. el 312.

4.

MUSEO ROMANO
mañanas: 10 h. a 13 h.
tardes: 16 h. a 19 h.

Ej.: A. ¿A qué hora abre la farmacia?
B. A las nueve y media.
A. ¿Qué horario tienen las farmacias?
B. Por las mañanas, de nueve a una y media, y por las tardes, de cinco a ocho.

Pregunta y contesta tú
A. ¿A qué hora abre el Museo Romano?
B. ....
A.¿ .... ?
B. ....

CONTENIDO COMUNICATIVO

¿**C**ómo...?

• **DIRIGIRSE A UN DESCONOCIDO** A. Perdone...
• **DAR LAS GRACIAS Y RESPONDER** A. Gracias. B. De nada.
• **PREGUNTAR SI EXISTE UN LUGAR O COSA Y CONTESTAR** A. ¿Hay una farmacia/un estanco...? B. Sí hay una/uno...
• **PREGUNTAR CÓMO IR A UN LUGAR Y DAR INSTRUCCIONES PARA LLEGAR** A. ¿Cómo voy...?/se va...? B. Coges el 12 y te bajas... en metro/taxi/andando. Sigues todo recto... coges la primera a la izquierda... atraviesas la calle...
• **PREGUNTAR Y DECIR LA HORA** A. ¿Qué hora es? B. Son las dos menos cuarto/diez...
• **PREGUNTAR POR EL HORARIO** A. ¿A qué hora abren/cierran? B. A las nueve.

CONTENIDO LINGÜÍSTICO

Gramática

Artículos indeterminados

un	una
unos	unas

el autobús	un autobús
la carta	una carta
los billetes	unos billetes
las tiendas	unas tiendas

Más verbos en presente

IR	VENIR	SEGUIR	COGER	CERRAR
voy	vengo	sigo	**cojo**	cierro
vas	vienes	sigues	coges	cierras
va	viene	sigue	coge	cierra
vamos	venimos	seguimos	cogemos	cerramos
vais	venís	seguís	cogéis	cerráis
van	vienen	siguen	cogen	cierran

LÉXICO

 amplía tu vocabulario

El centro
la parada del autobús
la estación de metro
el parque
la biblioteca
el barrio
la tienda
el periódico
cruzar la avenida
las siete **en punto**
        cerca de/lejos de/enfrente de

¡OJO! Léxico de Hispanoamérica

"coger" no se dice, se emplea "agarrar, tomar"
el metro = el subterráneo ("el subte", en Argentina)
el estanco = el quiosco de cigarrillos

Si Juan está en Venezuela **toma** la GUAGUA.
Si está en México **toma** el CAMIÓN.
Si está en Argentina **toma** el COLECTIVO.
Si está en Perú **toma** la GÓNDOLA.

Tienes que saber...

1. Describe el barrio donde vives usando este vocabulario:

vivo en	el centro	en
está en	la calle	al lado de
hay	una/la parada	cerca de
	una/la estación de metro	lejos de
	un/el supermercado	enfrente de
	un/el banco	a la izquierda
		a la derecha

2. Mirando el plano del metro de Ciudad de México...

A. ¿Cómo se va de Chapultepec a Hidalgo?

B. Coges la línea 1 hasta Balderas. Allí cambias, coges la línea 3 y bajas en la segunda estación.

Haz lo mismo con los trayectos:
— de Chilpancingo a Zócalo
— de Misterios a Moctezuma
— de Lázaro Cárdenas a Morelos

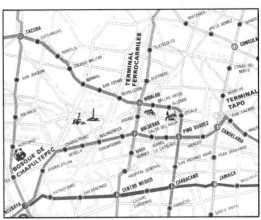

3. Escucha y completa con la hora correspondiente

TVE-1

7,45 **Carta de ajuste.**
–7.59 **Apertura.**
.....**Buenos días.** Dirección: Pedro Piqueras. El programa incluye: Gimnasia. Dibujos animados.
......**Por la mañana.** Dirección y presentación: Jesús Hermida.
......**El pájaro loco.** «Os pido posada».
.....**3×4.** Programa concurso, desde Barcelona.
..,....**Informativos territoriales.**
......**Conexión con la programación nacional.**
　　Telediario 1.
　　Falcon Crest.
　　Por la tarde.
　　Avance Telediario.
　　Los mundos de Yupi.
　　Reloj de luna.

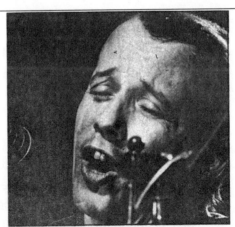

«Musical», con el cantautor Silvio Rodríguez (TVE-2, 18,30 h.).

actividades

pronunciación...

vacaciones
nacionalidad
hacer
plaza
policía
Venezuela
Valencia
cocina

ME LLAMO
CECILIA

— ¿Qué sonido se repite en todas estas palabras?
— ¿Cuál es la posición de la lengua?
— ¿Qué otras palabras conoces que tengan el mismo sonido?

D E S C U B R I E N D O

Para pasearte por Madrid...

Si no tienes coche, puedes pasearte por Madrid en metro o autobús. El viaje en metro cuesta 90 pesetas, pero puedes comprarte un carnet de 10 viajes por sólo 410 pesetas.

Puedes coger el autobús y ver al mismo tiempo la ciudad. El billete de autobús cuesta 90 pesetas, como el metro. Te sale más barato si compras el ''bono-bus'' de 10 viajes por 410 pesetas.

Pero, lo más barato es el Abono Transportes... eso sí, tienes que pasar un mes entero en Madrid. Puedes utilizar cualquier medio de transporte por 3.000 pesetas.

... y si tienes menos de 18 años, ¡2.000 pesetas!

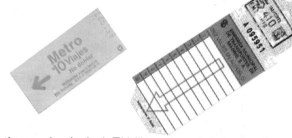

Un paseo por Sevilla

La Catedral, del siglo XV, es de estilo gótico. Fue construida sobre la Mezquita de Sevilla.

Barrio de Santa Cruz, antiguo barrio judío.

Las procesiones de Semana Santa constituyen un espectáculo inolvidable y tienen renombre universal.

La Giralda, construida por los árabes en el siglo XII.

Feria de abril: explosión de alegría y colorido.

Plano de Sevilla.

UNIDAD 5

Mesón típico Madrid
Fotografía: Comunidad Autónoma de Madrid

UNIDAD 5

Título

EN EL RESTAURANTE

Objetivos Comunicativos

- Preguntar por un deseo o necesidad
- Preguntar el importe
- Pedir la comida
- Pedir que alguien haga algo
- Responder a peticiones
- Expresar los gustos

Objetivos Gramaticales

- Imperativo formal
- Imperativo informal
- Presente de indicativo de poder, querer, hacer

Objetivos Culturales

- Hábitos alimenticios
- Horarios de comidas
- Alimentos de España e Hispanoamérica
- Descubriendo a Manuel Machado

Pronunciación

- Acentuación

Léxico

- Alimentos: carnes, pescados, frutas y verduras

Objetivos.

A. A comer...

Ana y Fernando están en un bar.

Fernando:	¡Camarero! ¡Por favor!
Camarero:	Sí, ¿qué quieren tomar?
Ana:	Fernando, ¿tú qué tomas?
Fernando:	Pues, una caña.
Ana:	Ponga dos cañas, por favor.
Camarero:	Dos cañas, muy bien. ¿Quieren alguna tapa?
Fernando:	No, gracias.
Ana:	Yo sí quiero. Tengo hambre.
Fernando:	Es que, no tengo mucho dinero.
Ana:	Bueno, pues no tengo hambre.
Fernando:	¿Cuánto es?
Camarero:	Son 180 pesetas.

Mar y Moncho están comiendo en un restaurante.

Camarero:	Buenos días. Aquí tienen la carta.
Mar:	Gracias. A ver qué podemos comer...
Moncho:	Yo ya lo he pensado, quiero de primero espárragos con mahonesa y de segundo, merluza a la vasca.
Camarero:	Muy bien. ¿Y usted?
Mar:	Yo no tengo mucha hambre, sólo quiero una ensalada.
Moncho:	¡Mujer, algo más! Pónganos algo de picar, para empezar, un poco de jamón y un poco de queso.
Camarero:	De acuerdo. ¿Y de beber?
Mar:	Agua mineral.
Moncho:	Yo, cerveza.

CONTESTA

¡tienes la palabra!

1

En el bar.
¿Qué bebe Fernando?
Y Ana, ¿qué toma?
¿Ana quiere comer algo?
¿Por qué?
¿Ana y Fernando toman alguna tapa?

¿Por qué?
¿Cuánto son las dos cañas?
¿Te parece barato? ¿caro?
Compara estos precios con los de tu país.

2. En el restaurante.

¿Qué pide Moncho?

¿Mar tiene hambre? ¿Qué pide?

¿Qué pide Moncho para "abrir boca"?

Y de beber, ¿qué toman?

3. Elige un papel:

— camarero/a de bar / cliente de bar

— camarero/a de restaurante / cliente de restaurante

Representa tu papel con otro compañero. Luego, cambia los papeles.

 B. *Hablando de gustos...*

Julia y Luis están en una emisora de radio, hablando con el presentador.

Pres.: ¿A ti qué te gusta, Julia?

Julia: A mí me gusta la música clásica, me gustan los ordenadores, me gusta leer...

Pres.: Y, ¿te gusta jugar a las cartas?

Julia: No. Me gusta jugar al ajedrez.

Pres.: ¡Qué intelectual!

Pres.: Y a ti, Luis, ¿qué te gusta?

Luis: Pues... me gusta mucho la música moderna, las motos me gustan bastante, me gusta leer...

Pres.: ¿A ti te gusta jugar al ajedrez?

Luis: No, no me gusta nada. No me gusta pensar. A mí me gusta ir a la discoteca o a los conciertos rock.

¡tienes la palabra!

Para ayudarte:

a mí me gusta... a ti te gusta... a él/ella le gusta...	me gusta leer me gustan las motos	me gusta mucho me gusta bastante no me gusta mucho no me gusta nada

1. En parejas. Pregunta a tu compañero/a si le gustan las mismas cosas que a Julia y a Luis:
A. *¿Te gusta...?*
B. *Sí, me gusta/No, no me gusta.*

2. Explica lo que le gusta a tu compañero/a
"A... le gusta... y...
No le gusta...

3. Ahora mira la lista de comidas de la página 62 y di lo que te gusta.

C. *Cajón de sastre: ¡qué lío!*

Escucha estas frases y repítelas:

No le oigo

- ¿Puedes coger el teléfono?	- Sí, ya voy
- Pon estos paquetes en el armario, por favor.	- Vale.
- ¿Puedes hacer dos fotocopias?	- Ahora mismo.
- ¿Puedes darme unos datos?	- Lo siento, ahora no puedo.
- Siéntese, por favor.	- Gracias.
- ¿Puedes cerrar la ventana? Hay mucho ruido.	- Claro, enseguida.
- Abra la puerta, Luis. Están llamando.	- Ahora mismo.
- ¿Puede repetir este número?	- Sí, ...
- No le oigo. ¿Puede hablar más alto?	- ...
- Escriba aquí su dirección.	- Vale.

Ahora mira estas escenas. Escribe cada número delante de su frase correspondiente.

 ## *¡tienes la palabra!*

> Para ayudarte:

¿puede(s):	cerrar...?
	coger...?
	abrir...?

Imperativo:	
(tú)	cierra / abre
(usted)	cierre / abra

1. ¿Qué dirías en estas situaciones?

— Estás en el cine. Una persona está hablando muy alto.

   Ejemplo: *¿Puede hablar más bajo, por favor?*

— Estás en la clase. Tu profesor/a está explicando. Tú no entiendes.

— Estás en casa con tu familia. Suena el teléfono. Tú estás en la ducha.

— Estás en la oficina, hablando por teléfono. Una persona te interrumpe.

— Estás en casa de unos amigos. La ventana está abierta y hace frío.

— Estás en tu casa. Llaman a la puerta. Estás ocupado/a.

2. En grupos de cuatro. Por turno, da órdenes a tus compañeros.

   Ejemplo: *¡Habla en español! ¿Puedes abrir la puerta?*

¿Cómo...?

• **PREGUNTAR POR UN DESEO O NECESIDAD**	¿Qué quiere/quieres? ¿Quiere/quieres...?
• **PREGUNTAR** el importe	¿Cuánto es?/La cuenta, por favor
• **PEDIR LA COMIDA**	(Yo quiero) de primero postre/beber/comer...
• **PEDIR QUE ALGUIEN HAGA ALGO**	TÚ — abre, (por favor) ¿Puedes abrir, (por favor)? / USTED — abra, (por favor) ¿Puedes abrir, (por favor)?
• **RESPONDER A PETICIONES**	(Sí), ahora mismo/vale/claro (No), lo siento, (ahora no puedo).
• **EXPRESAR GUSTOS**	¿Te gusta la música clásica? No, no me gusta (nada).

Gramática

Imperativo

	COGER	PONER	HACER	DAR	SENTARSE	CERRAR	ABRIR	HABLAR	REPETIR
(tú)	COGE	**PON**	**HAZ**	DA(ME)	SIÉNTATE	CIERRA	ABRE	HABLA	REPITE
(Usted)	COJA	**PONGA**	**HAGA**	DE(ME)	SIÉNTESE	CIERRE	ABRA	HABLE	REPITA

Más VERBOS en PRESENTE

PODER	QUERER	HACER
p**ue**do	qu**ie**ro	**hago**
p**ue**des	qu**ie**res	haces
p**ue**de	qu**ie**re	hace
podemos	queremos	hacemos
podéis	queréis	hacéis
p**ue**den	qu**ie**ren	hacen

LÉXICO

amplía tu vocabulario

CARNES Y EMBUTIDOS
el cordero
la ternera
el pollo
el cerdo
el jamón
el chorizo

PESCADO
la sardina
la merluza
la trucha
el bacalao
el lenguado

FRUTAS
la manzana
la naranja
la pera
la uva
el plátano
el melocotón
el melón

VERDURAS Y HORTALIZAS
las espinacas
las judías verdes
la lechuga
el tomate
las patatas
las cebollas
los ajos

PASTELERÍA
el pastel
la tarta

¡OJO! Léxico de Hispanoamérica
fresa = frutilla (Argent.)
judías verdes = chauchas (Argent.)
              ejotes (México)
pastel = torta (Argent.)
plátano = banana (Argent.)
gustar = provocar (Colombia)
patatas = papas
zumo = jugo (México)

VASO

CUCHILLO

PLATO

TENEDOR

CUCHARA

SERVILLETA

ienes que saber...

1. Mira la nota del camarero y escucha a los clientes. Hay errores en la nota. Corrígelos.

casa PACO

1 judías verdes
2 entremeses
1 salmón
1 merluza romana
1 chuletas de cordero
2 helados de fresa
1 helado de chocolate
cerveza
agua.

padre

madre

hijo

	de primero	de segundo	de postre
	judías verdes		

2. ¿Qué le gusta a tu compañero/a?

En grupos.
- cada uno escribe en un papel una cosa que le gusta.
- se doblan y mezclan todos los papeles.
- Cada alumno, por turno, coge un papel y adivina a quién corresponde.
  Ej.: *Peter, ¿a ti te gusta jugar al tenis?*
  Sí, me gusta.
  No, a mí no me gusta.
- Gana el primero en completar la lista siguiente:

A _PETER_ le gusta JUGAR AL TENIS

....

....

....

....

3.

Adivina los gustos de estas personas
¿a quién le gusta...
... jugar al tenis/fútbol/golf?
... oír música rock (sudamericana/clásica)?
... leer novelas/revistas/comics?
... beber cerveza/champán/zumos de frutas?

ronunciación.

1. Escucha y repite:

na**riz** — **me**sa — pa**sar** — Ma**drid** — fe**liz** — **hi**ja — **gua**po —
regla — te**ner** — **se**llo

2. Escucha las palabras y colócalas en su columna correspondiente según el acento.

•̇ pollo	‒ •̇ tomar

DESCUBRIENDO

Hablando de gustos...

Al español le gusta...

...dormir — ''La buena suerte durmiendo al hombre le viene''
Refrán español.

... comer bien — ''Agua poca y jamón hasta la boca''
Refrán español.

... su tierra — Cádiz, salada claridad. Granada
agua oculta que llora.
Romana y mora, Córdoba callada.
Málaga, cantaora.
Almería, dorada.
Plateado, Jaén. Huelva, la orilla
de las tres carabelas
y Sevilla.
M. Machado. **Phoenix, 1936.**

— **¿Qué comparaciones aparecen en la poesía de Machado?**

Me gusta ver el sol... ¡no para de llover!
Te gusta estar conmigo... ¡Qué le vamos a hacer!
La niña está muy sola... y le gusta querer.
  Me gusta, te gusta, le gusta
  ¡Y es el mundo al revés!

— **Intenta hacer un pequeño poema hablando de tus gustos.**

61

LA COMIDA ESPAÑOLA E HISPANOAMERICANA

En España...

La cocina española es una de las más variadas del mundo; los platos más típicos son:

En el Norte, exquisitos platos de pescado y marisco.

En Asturias, es típica la "fabada".

En Castilla, el cocido, los callos.

En Andalucía, un plato excelente para el verano es el gazpacho.

En Hispanoamérica...

Allí encontramos platos típicos de cada país:

En Cuba y en Colombia probamos el ajiaco (verduras, pollo, pimienta y alcaparras).

En Perú, el cebiche (pescado con limón verde).

En México, las enchiladas (puré de harina de maíz con carne y chile).

Les gusta mucho la fruta con un poco de limón, y usan el aguacate en casi todos sus platos.

Calorías (100 gramos)

cordero	101
pollo	133
jamón	160
chorizo	357
trucha	85
langostinos	74
queso manchego	379
tomate	24
naranja	45
plátano	90
vino blanco	70
Jerez	129
aceite de oliva	901

UNIDAD **6**

Chichicastenango

UNIDAD 6

Título

GENTE

Objetivos Comunicativos

- Describir a una persona
- Hablar de acciones habituales
- Preguntar y decir la edad

Objetivos Gramaticales

- Verbos reflexivos
- Presente de indicativo de salir, volver, empezar
- Adjetivos posesivos (II)

Objetivos Culturales

- Vida familiar
- Rómulo Gallegos, un escritor venezolano

Pronunciación

- Entonación interrogativa

Léxico

- Caracteres, acciones habituales, estado civil, la familia

A. *¿Cómo es?*

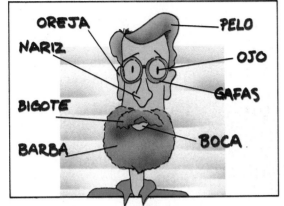

Carmen habla a Julia de su novio

Carmen:	¿Cómo es tu novio?
Julia:	No está mal. Es alto, delgado...
Carmen:	¿Es rubio o moreno?
Julia:	Moreno, y tiene bigote y barba. Aquí tengo una foto. Mira.
Carmen:	Es muy guapo. Parece simpático. Tiene los ojos claros, ¿verdad?
Julia:	No, los tiene oscuros.
Carmen:	¿Qué hace?
Julia:	Es notario.
Carmen:	¿Sí? ¿Cuántos años tiene?
Julia:	Veintiocho.

alto ≠ bajo
delgado ≠ gordo

¡tienes la palabra!

Para ayudarte:

¿Cómo es...?	
¿Es...	**¿Tiene...**
... moreno/**a** o rubio/**a**?	... bigote?
... alto/**a** o bajo/**a**?	... barba?
... gordo/**a** o delgado/**a**?	... el pelo corto o largo?
... simpático/**a** o antipático/**a**?	... el pelo liso o rizado?
... guapo/**a** o feo/**a**?	... los ojos oscuros o claros?
... joven o mayor?	

| ¿Cuántos años tienes? | (Tengo) dieciocho (años) |
| ¿Cuántos años tiene? | (Tiene) treinta (años) |

1. En parejas.
A. describe uno de los personajes
B. adivina quién es

Iñaqui Gabilondo, periodista. 1943

Marta Sánchez, cantante del grupo "olé olé". 1966

Arantxa Sánchez Vicario, tenista. 1972

Guillermo Pérez Villalta, pintor. 1949

2. Juego de las 20 preguntas.
A. piensa en un/a compañero/a de la clase. Los demás hacen preguntas para averiguar quién es.
A sólo puede responder Sí o No.
Ejemplo:
(1.ª) ¿Tiene el pelo liso? — No
(2.ª) ¿Es joven?   — Sí
(3.ª) ¿Tiene 20 años?   — No
etc.

B. ¿Qué hace?

Felisa Gómez es directora de un banco.
Mira estas escenas. ¿A qué frases corresponden?

    a) Felisa Gómez se levanta a las 7.
    b) Empieza a trabajar a las 8.
    c) Sale de trabajar a las 3 y come en un restaurante.
    d) Juega al tenis de 5 a 6 y luego vuelve a casa.
    e) Antes de cenar estudia inglés o lee el periódico.
    f) Después de cenar ve la televisión y se acuesta.

1

2

3

4

5

6

¡tienes la palabra!

Para ayudarte:

> (Yo) ME levanto
> (Tú) TE levantas
> (Él) SE levanta
> (Nosotros) NOS levantamos
> (Vosotros) OS levantáis
> (Ellos) SE levantan

1. Pregunta a tu compañero/a qué hace los fines de semana (sábado o domingo).
Ejemplo: *A. ¿Qué haces los domingos?   B. Me levanto a las ...
                                                            Voy a ...*

2. En grupos de 4 (2 parejas). Cada pareja escoge uno de estos oficios: lo-
cutor/a de radio - repartidor/a de periódicos - dependiente/a de una tienda. Tenéis que descubrir el oficio de la otra pareja preguntándoles por
sus hábitos.

3. Escucha a Eva contando lo que hace cada semana y rellena su agenda.
Usa estos verbos:
ir (al gimnasio) - dar (clases) - ensayar - tocar - comer (con la familia) -
hacer la compra.

23 ENERO	mañanas	tardes
lunes		
martes		
miércoles		
jueves		
viernes		
sábado		
domingo		

C. *Cajón de sastre: la familia*

La familia de los Buendía, de "Cien años de soledad" de Gabriel García Márquez.

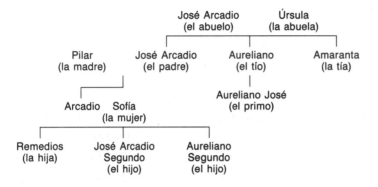

Pilar y José Arcadio son los — PADRES de Arcadio.
José Arcadio tiene un — HERMANO, Aureliano,
    y una — HERMANA, Amaranta.
Amaranta es la — .... menor de José Arcadio y Úrsula.
Aureliano José es — .... de Aureliano.
Sofía es la — .... de Remedios.
Arcadio y Aureliano José son — NIETOS de José Arcadio y Úrsula.
Aureliano José es el — .... de Arcadio.
Amaranta no tiene — ....

¡*tienes la palabra!*

1. ¿Quién está hablando?
a) MI padre se llama Arcadio. Yo soy SU hija.
b) MIS hermanos son José Arcadio Segundo
   y Aureliano Segundo.
c) MI madre se llama Úrsula. Soy uno de SUS hijos. MI hermano se llama
   José Arcadio, como MI padre.

2. En parejas:
A. escoge un personaje de la familia Buendía.
B. pregunta a A por su familia:
   ¿Eres hijo/a de Arcadio?
A. responde como si fuera el personaje escogido:
   Sí/No

Tienes que saber...

¿Cómo...?

• **DESCRIBIR A UNA PERSONA**	A. ¿Cómo es ...?
	B. Es moreno ...
	Tiene el pelo rizado ...
• **HABLAR DE ACCIONES HABITUALES**	A. ¿A qué hora te levantas?
	B. Me levanto a las ...
	A. ¿Qué haces los jueves?
	B. Voy al gimnasio
	— Los españoles cenan muy tarde
• **PREGUNTAR Y DECIR LA EDAD**	A. ¿Cuántos años tienes?
	B. (Tengo) veinte.

Gramática

Algunos VERBOS REFLEXIVOS

LEVANTARSE	ACOSTARSE
me levanto	me acuesto
te levantas	te acuestas
se levanta	se acuesta
nos levantamos	nos acostamos
os levantáis	os acostáis
se levantan	se acuestan

Más VERBOS en PRESENTE

SALIR	VOLVER	EMPEZAR
salgo	vuelvo	empiezo
sales	vuelves	empiezas
sale	vuelve	empieza
salimos	volvemos	empezamos
salís	volvéis	empezáis
salen	vuelven	empiezan

Adjetivos POSESIVOS

SINGULAR	PLURAL
mi	mis
tu	tus
su	sus

Recuerda

> No tienen género: su tío, su tía

 amplía tu vocabulario

ESTADO CIVIL
soltero/a
casado/a
divorciado/a
viudo/a

CARÁCTER
amable ≠ grosero/a
inteligente ≠ tonto/a
serio/a ≠ divertido/a

HÁBITOS
levantarse
ducharse
comer
desayunar
merendar
cenar

 ¡OJO! Léxico de Hispanoamérica

boda = casamiento (en Argent.)
dinero = plata
gafas = anteojos (Argent.)/lentes (Méx.)
padre = viejo, papá
madre = vieja, mamá

1. Encuesta (Elle abril, 1989)

	ITALIA	ALEMANIA	REINO UNIDO	ESPAÑA	FRANCIA
TRABAJO					
Población: femenina activa	27,2%	35,3%	39,4%	21,5%	36,3%
DEMOGRAFÍA					
Nº matrimonios por 1.000 habitantes	5,3	6,3	7	5,3	4,7
Nº divorcios por 100 habitantes	5%	44%	44%	10%	31%
HORARIOS					
Levantarse	7,30-8 h.	6-7 h.	7,30	entre 7 y 8 h.	entre 7 y 8 h.
Acostarse	24-1 h.	22 h.	23 h.	23-24 h.	22-23 h.
Cena	21 h.	19,30-20 h.	20-20,30 h.	22-22,30 h.	20,30-21 h.
Comida restaurante	13 h.	12-12,30 h.	13 h.	14-15 h.	12,30-13 h.
ALIMENTACIÓN					
Desayuno	café con leche, pan, biscottes, mantequilla, mermelada.	café o té, muesli, charcutería, queso, pan.	té, zumos, frutas, porridge, huevos con bacon.	café con leche, bollería, pan, mantequilla.	café con leche, té, pan o tostadas.
	5 a 10 mn.	20 a 30 mn.	30 a 40 mn.	10 a 20 mn.	3 a 10 mn.

a) Subraya los datos de la encuesta que te parezcan más interesantes.
b) Escribe: — Un diálogo entre dos personas de países distintos, o
— Una redacción corta.
Ejemplo: *"¿A qué hora os levantáis en Italia?"*
"De siete y media a ocho, normalmente."
Los alemanes se levantan muy temprano...

2. En parejas. Traed fotos de familia. Intercambiadlas. Preguntad y hablad sobre las personas que aparecen.
Ejemplo: *"¿Quién es este/a...?"* *"Es mi..."*
"¿Quién es tu padre/madre?" *"Es este/a..."*

3. Luis de la Fuente entrevista a cuatro personajes: Pedro, Laura, José Luis y Elvira.
Escucha y marca verdadero (V) o falso (F)

1. Pedro está casado
2. Su mujer trabaja en un laboratorio
3. Tiene tres hijos
4. Laura está casada
5. Tiene un hermano
6. José Luis está soltero

7. Vive en un apartamento con su hijo
8. Su hijo tiene doce años
9. Elvira tiene cuatro hijos
10. Su hija Isabel tiene dos hijos
11. Su hijo Carlos tiene cuarenta y cinco años

	1	2	3	4	5	6	7	8	9	10	11
V											
F											

actividades.

pronunciación.

1. Entonación interrogativa. Escucha y repite las siguientes frases:
¿dónde vives?
¿cómo te llamas?
¿cuál es tu número de teléfono?
¿cuánto es?
¿cómo está usted?
¿qué haces?
¿qué quieres tomar?

2. Ahora, escucha estas frases y di si son preguntas o no:

	1	2	3	4	5
Sí					
No					

descubriendo...

DESCUBRIENDO

¡Vamos de boda!

Viva la novia y el novio
y el cura que los casó
el padrino y la madrina
los convidados y yo.
Qué bonita está una parra
con los racimos colgando
Más bonita está una novia
para los enamorados.
De la buena uva
sale el buen racimo,
de buena familia
llevas el marido.
De la buena uva
sale el moscatel,
de buena familia
llevas la mujer...
Canción popular de boda

¿Qué personajes aparecen en la boda?
¿Con qué se compara a la novia?

A fuego y a boda
va la aldea toda
Refrán español

...Así transcurrió el tiempo y llegó el que había sido señalado para la boda. La casa de los Reinoso andaba toda revuelta[1] con los preparativos que se hacían. Una cuadrilla[2] de artesanos pulía[3] los suelos. (...) La modista iba y venía, casi a diario, a probar a la desposada[4] las prendas del ajuar[5], las vecinas acudían a curiosear las novedades y en las sobremesas[6] de la familia no se hablaba sino de las familias que debían asistir a la boda clasificándolas cuidadosamente en las dos categorías de padrinos y simples invitados. Todo esto costaba al señor Reinoso un ojo de la cara[7] pero estaba dispuesto a hacer mayores sacrificios a fin de que la fiesta resultase digna de la altísima calidad del novio y de la elevada posición social que la familia ocupaba en el ''mundo elegante'' de Caracas.

Rómulos Gallegos ''El cuarto de enfrente''
Novelista venezolano (1884-1969)

(1) sin orden
(2) un equipo
(3) hacía brillar
(4) novia
(5) ropa de la novia
(6) conversaciones después de comer
(7) mucho

TEST 2

Repaso unidades 4, 5 y 6

1. Di qué hay y dónde está:

Ejemplo:

Hay un supermercado

El supermercado está al lado de la parada de autobús

CINE	CORREOS	✚ Farmacia	Restaurante		† IGLESIA
		BUS			
BANCO	BAR	Supermercado Comisaria	MUSEO		Estanco

2. Completa con los verbos IR, VENIR, COGER, BAJARSE, ABRIR, CERRAR.

a. ¿Cómo _voy_ a tu casa, en metro o en autobús?
b. Los bancos _abren_ a las 9 de la mañana
c. _Te bajas_ en la tercera parada.
d. _Coges_ la primera a la derecha.
e. Las tiendas _cierran_ a las 8 de la tarde.
f. ¿_Vienes Vas_ esta tarde a mi casa?

3. Completa con HAY o ESTÁ

a. Al lado de la farmacia _está_ mi casa.
b. En el centro de la ciudad _hay_ una plaza.
c. El museo de Sorolla _está_ en la c/. Martínez Campos.
d. En mi barrio _hay_ un hospital.
e. Cerca del estanco _hay_ una parada de autobús.
f. Correos _están_ en la Plaza del País Valenciano.

4. Sigue el modelo: *

Ejemplo:

A. No hay bocadillos de queso

B. Ponga uno de jamón

a. A.¿Cómo voy a tu casa?

   B. (COGER, tú)_____Coge_____el autobús 5.

b. A.¿Te puedo ayudar?

   B. Sí, (PONER, tú)_____Pon_____los libros en la estantería.

c. A. Hay mucho ruido, (CERRAR, Vd.)_____Cierren_____la ventana.

d. A. ¿Cómo se va a Galerías Preciados?

   B. (SEGUIR, Vd.)_____Siga_____todo recto y luego (COGER, Vd.) la primera calle a la derecha.

5. Relaciona:

a. ¿Qué quieren tomar?   Son 2.800 ptas.

b. ¿Qué quieren de beber?   Sí, ¿qué hay?

c. ¿Quieren algo de postre?   Sopa y entremeses

d. ¿Qué van a tomar de primero? Ponga dos cafés

e, ¿Cuánto es?   Vino y agua mineral

6. ¿Cómo son? *

Andrés   Cristina   Carlos   Lali

a. Andrés es _joven moreno/delgado_   c. Carlos _mayor/tiene bigote_

b. Cristina _rubia/mayor_   d. Lali _rubia/ojos claros._

pag 65

7. Escribe los nombres de tu familia en este árbol:

TÚ

Y haz frases: Mi abuelo se llama_____ Es_____

a._____

b._____

c._____

d._____

e._____

UNIDAD 7

La Vaguada Madrid
Fotografía: Comunidad Autónoma de Madrid

UNIDAD 7

Título	DE COMPRAS
Objetivos Comunicativos	• Describir colores y materiales • Preguntar el precio • Pedir permiso • Llamar la atención sobre algo y expresar la admiración • Pedir opinión sobre gustos y responder • Expresar preferencias y justificarlas
Objetivos Gramaticales	• Masculino y femenino • Singular y plural de adjetivos • Pronombres personales de objeto directo • Verbos con pronombre (me gusta, me parece, me queda) • Presente de Indicativo de preferir y saber
Objetivos Culturales	• ¿Dónde compramos? • Descubriendo a Atahualpa Yupanqui
Pronunciación	• La "ñ"
Léxico	• Cantidades y medidas • La ropa: colores y materiales

Objetivos.

A. Vamos de compras

En una tienda de ropa...

Dependiente: ¡Buenos días!, señora, ¿qué desea?

Cliente: Buenos días. Quiero unos pantalones.

Dependiente: ¿De qué talla?

Cliente: Pues, no sé... de la 40 ó 42, creo.

Dependiente: De estas tallas los tenemos azules y negros.

Cliente: ¿Puedo probarme los negros?

Dependiente: Sí, claro, allí están los probadores.
.....
¿Cómo le quedan?

Cliente: Me quedan bien. Me los llevo. ¿Qué precio tienen?

Dependiente: Estos valen 8.500. ¿Paga con dinero o con tarjeta de crédito?

Cliente: Con dinero. Aquí tiene...

¡tienes la palabra!

Para ayudarte:

VENDEDOR	CLIENTE
¿Qué desea?	Quiero, quisiera, querría ...
¿De qué talla?	la talla ...
¿De qué color?	...
	¿Puedo probarme...?
	¿Qué precio tiene/n...?

Pantalones Vaqueros

Camisa blanca

Zapatos marrones

Calcetines verdes

Camisa de seda rosa

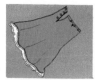

Falda rosa

Chaqueta negra

Abrigo gris

1. En una tienda de ropa. A es el cliente y B el vendedor

A.
- Saluda y pide una chaqueta de lana
- Responde
- Responde
- Pide otra. Pregunta si se la puede probar
- Dice que le queda bien. Pregunta el precio
- Responde y se despide

B.
- Pregunta la talla
- Pregunta el color
- Dice que no tiene este color
- Responde e indica dónde está el probador
- Responde y pregunta cómo la va a pagar
- Se despide y da las gracias.

2. En parejas. Escribid un diálogo similar y representadlo.

B. *¿Cómo me queda?*

FALDAS

Ana: Mira esta falda de cuero, ¡qué bonita! ¿Te gusta?

Elena: No mucho. Me gustan más las faldas de tela.

......

Ana: ¿Qué te parece esta roja?

Elena: No está mal, pero prefiero la azul, es más elegante.

Elena (al dependiente): ¿Puedo probarme esta falda?

Dependiente: Sí, claro

......

Elena: ¿Cómo me queda?

Ana: Muy bien, y no es cara.

Elena: Pues me la llevo.

¡tienes la palabra!

Para ayudarte:

Mira... ¡qué ...!
¿Qué te parece/n ...?
Prefiero/Me gusta/n más ...

ancho ≠ estrecho	caro ≠ barato
clásico ≠ moderno	práctico
elegante	deportivo

1. Mira los dibujos y pregunta como en los ejemplos:

A. *¿Qué bolso te gusta más?*
B. *Prefiero el grande. Es más práctico.*
A. *Mira esos pantalones, ¡qué modernos!*
B. *A mí me gustan más los anchos.*

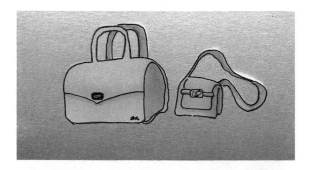

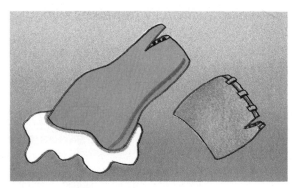

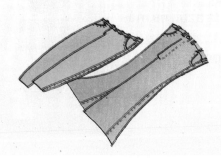

C. *Cajón de sastre: la lista de la compra*

Escucha y completa este pedido:

Cantidad	Concepto	Precio
SUPERMERCADO "CADA DIA" C/Alhambra, 28 (Servicio a domicilio) Cliente: .... Dirección:		
1 docena	huevos	
3 latas		
200 grs		
1 bote	aceitunas	
2 botellas		
1/2 Kilo		
	TOTAL	

¡tienes la palabra!

1. En parejas. Haced una lista de la compra para una semana.

2. Relaciona:

3 botellas
media docena
1 Kilo y medio
1 cuarto
2 botes
medio Kilo

De

limones.-
aceitunas.-
vino.-
patatas.-
huevos.-
jamón.-

¿Cómo...?

• **DESCRIBIR COLORES Y MATERIALES**	A. ¿Qué desea? B. Quiero una falda de cuero roja.
• **PREGUNTAR EL PRECIO**	¿Qué precio tiene/n...? ¿Cuánto vale/n?
• **PEDIR PERMISO**	¿Puedo probarme...?
• **LLAMAR LA ATENCIÓN SOBRE ALGO Y EXPRESAR ADMIRACIÓN**	Mira esta chaqueta, ¡qué elegante!
• **PEDIR OPINIÓN SOBRE GUSTOS Y RESPONDER**	A. ¿Cómo me quedan estos zapatos? B. Bien Mal A. ¿Qué te parece esta falda? B. No está mal Es muy bonita
• **EXPRESAR PREFERENCIAS Y JUSTIFICARLAS**	A. ¿Qué bolso prefieres? B. El grande. Es más práctico.

Gramática

• **Formación del femenino y el plural de los adjetivos**

Singular		Plural	
masculino	femenino	masculino	femenino
blanco	blanca	blancos	blancas
	verde		verdes
	azul		azules
	marrón		marrones
	gris		grises

tienes que saber...

• **Pronombres átonos de 3.ª persona (Complemento Directo)**

	Singular	Plural
Masculino	LO	LOS
Femenino	LA	LAS

Me LA llevo (la falda)
Me LO llevo (el jersey)
Me LAS llevo (las patatas)
Me LOS llevo (los plátanos)

• **VERBOS con PRONOMBRE:**

(A mí)	ME	
(A ti)	TE	
(A él/ella/Vd.)	LE	queda/n
(A nosotros/as)	NOS	parece/n
(A vosotros/as)	OS	gusta/n
(A ellos/as)	LES	

• **Más VERBOS en PRESENTE:**

PREFERIR	SABER
Prefiero	**sé**
prefieres	sabes
prefiere	sabe
preferimos	sabemos
preferís	sabéis
prefieren	saben

LÉXICO

mplía tu vocabulario

Cantidades y medidas:
un kilo de azúcar
medio kilo de café
una lata de atún
una botella de aceite
una docena de huevos
un litro de vino

Prendas de vestir. La ropa	El material	Los colores	El dibujo, el diseño,...
el traje	de piel	rojo/a	liso/a
la blusa	de cuero	azul	a rayas
la camiseta	de seda	verde	estampado/a
las medias	de algodón	amarillo/a	elegante
el vestido	de lana	naranja	deportivo/a
la corbata	acrílico/a	rosa	práctico/a
la falda		marrón	cómodo/a
		gris	
		oscuro/a	
		claro/a	

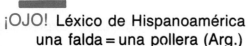

¡OJO! Léxico de Hispanoamérica
 una falda = una pollera (Arg.)
 un abrigo = un sobretodo (hombre), un tapado (mujer) (Arg.)
 un jersey = un suéter
 el escaparate = la vitrina
 un bolso = una cartera (Arg.), una bolsa (Méx.)
 ......
 ¡Date prisa! = ¡apúrate!, ¡muévete!

tienes que saber...

1. ¿Dónde se pueden oír estas frases? ¿En una carnicería? ¿En una frutería?

	Carnicería	Frutería
1		
2		
3		
4		
5		
6		
7		
8		

A.- carnicería

¿Quién habla:
el vendedor o el cliente?

	Vendedor	Cliente
1		
2		
3		
4		
5		
6		
7		
8		

B.- frutería

2. Esta es una encuesta de opinión sobre los gustos de los españoles:

SÍ		NO		
mucho	bastante	no mucho	nada	¿Le gusta a Vd...?
8	12	32	48	...madrugar?
41	25	19	15	...salir de noche?
18	41	29	12	...los toros?
17	24	36	23	...la televisión?
46	35	20	5	...el cine?
27	44	22	7	...viajar?
33	37	18	12	...dormir la siesta?

¿Qué conclusiones se pueden sacar de la encuesta? Exprésalas como en los ejemplos:

A los españoles les gusta mucho salir de noche.
A los españoles no les gusta nada madrugar.

En grupos: preparad preguntas para una encuesta sobre gustos en vuestro país.
Realizad la encuesta en vuestra clase apuntando los resultados en la pizarra.
Comentad las conclusiones de vuestra encuesta.

Ejemplo: *Nos gusta/n bastante ...   No nos gusta/n mucho ...*

a ctividades.

pronunciación.

descubriendo...

1.

niño
español
compañero
diseñador
año
madrileño
panameño

2.

Hispania-España
Antonia-niña
cana-caña
vano-baño
pena-peña

mano-maño
ceno-ceño
minio-miño
cuna-cuña
campana-campaña

DESCUBRIENDO

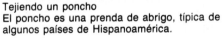

Tejiendo un poncho
El poncho es una prenda de abrigo, típica de algunos países de Hispanoamérica.

Abanicos
Un abanico sirve para darse aire en los días calurosos.

Poncho de cuatro colores
Cuatro caminos quebrados
y un solo sueño de cobre
esto el changuito...   soñando

Atahualpa Yupanqui
(poeta y cantante argentino)

¿Cuáles son los objetos típicos de tu país?
Explica a tus compañeros cómo son y para qué sirven.

¿Qué compramos?
¿Dónde lo compramos?

En un mercadillo, al aire libre (Barcelona).

En el Rastro (Madrid).

En un centro comercial (Majadahonda. Madrid).

En el mercado de los artesanos (Madrid).

¿Qué se puede comprar...
- **...en un mercadillo?,**
- **...en el Rastro?,**
- **...en el mercado de los artesanos?,**
- **y en un centro comercial?**

escubriendo...

UNIDAD **8**

Barcelona Ciudad Olímpica

UNIDAD 8

Título

INVITACIONES

Objetivos Comunicativos

- Invitar o proponer
- Aceptar
- Rechazar
- Preguntar y decir la causa
- Insistir
- Concertar una cita
- Expresar obligación
- Describir acciones presentes

Objetivos Gramaticales

- Pronombres átonos de objeto directo
- Colocación de pronombres complementos
- Tener + que + infinitivo
- Presente continuo
- Gerundio
- Presente de indicativo de jugar y oír

Objetivos Culturales

- El ocio en España
- Fiestas tradicionales en Hispanoamérica

Pronunciación

- Entonación exclamativa

Léxico

- Lugares de ocio
- Deportes
- Meses del año

A. ¿Quieres...?

1.

A. ¿Quieres tomar café?
B. No, gracias. No tomo café.
A. ¿Y un té?
B. Bueno, un té sí, gracias.

2.

A. El sábado por la tarde hay partido, ¿sabéis?
B. ¿Ah, sí?, ¿quién juega?
C. El Real Madrid y el Bonaerense, ¿no?
A. Sí. ¿Queréis venir a casa a verlo?
B. Vale, muy bien.
C. ¡Hombre, estupendo!

3.

A. ¿Salimos esta tarde?
B. Bueno, ¿a qué hora quedamos?
A. A las ocho en tu casa, ¿vale?
B. De acuerdo. Hasta luego.

Observa

• ¿En qué diálogos se invita a un amigo a casa?
• ¿En qué diálogos se insiste?
• ¿En qué diálogos se acepta una invitación?
• ¿En qué diálogos no se acepta la invitación?

4.

A. ¿Tomamos algo?, te invito.
B. Lo siento, no puedo.
A. ¿Por qué?
B. Porque tengo que ir a casa de unos amigos.
A. Venga, hombre. Sólo son diez minutos.
B. No, de verdad, no puedo. Me están esperando.

¡tienes la palabra!

Para ayudarte:

| TÚ y YO | ¿salimos? | | SÍ | vale/de acuerdo/bueno |
| TÚ | ¿quieres salir? | | NO | no, gracias/lo siento (no puedo) |

| A. ¿Por qué? | ¿Cómo quedamos? { ¿dónde quedamos? |
| B. Porque... | ¿a qué hora quedamos? |

1. ¿Quedamos el sábado?

Haz planes ("queda") con tus compañeros para el fin de semana. Habla con diferentes compañeros (siempre de uno en uno) y apunta sus citas.
Ejemplo:

1-A. ¿Quieres venir a mi casa a estudiar el domingo por la tarde?
  -B. Vale. ¿A qué hora quedamos?
  -A. A las ocho.

2-C. ¿Vienes al cine el domingo?
  -B. Lo siento. Tengo que ir a casa de...
  -C. ¿Y el sábado?
  -B. De acuerdo. El sábado.

Puedes proponer también:

ir al teatro
jugar al tenis, al ajedrez...
tomar una copa
ir a bailar

ir al parque
montar en bici, en moto
ver la tele

2. En parejas.

A hace una pregunta (1-6) y B da la respuesta apropiada (a-f)

1. ¿Por qué llegas tan tarde a casa?
2. ¿Por qué no invitas a Juan a la fiesta del sábado?
3. ¿Por qué no quieres cenar?
4. ¿Por qué no vienes al teatro?
5. ¿Por qué llegas siempre tarde a clase?
6. ¿Por qué vas al cine todas las semanas?

a. Porque me gusta mucho.
b. Porque tengo que estudiar.
c. Porque vivo muy lejos.
d. Porque está de viaje.
e. Porque no tengo hambre.
f. Porque tengo mucho trabajo en la oficina.

Pero, ¿qué estás haciendo?

— ¡Diga!
— ¿Daniel?, ¿eres tú?
— Sí, soy yo. ¿Qué tal, papá?
— Bien. ¿Y tú?
— Muy bien. Estupendamente.
— ¿Estás estudiando mucho?
— Sí, claro.
— ¿Con quién estás? Oigo ruido.
— Bueno, ahora estoy viendo la televisión con unos amigos, están poniendo un programa muy interesante.
— ¿Qué? ¡No oigo nada!

¡tienes la palabra!

Para ayudarte:

fumar	fumando	leer **leyendo**
cantar	cantando	oír **oyendo**
contar (chistes)	contando	
jugar	jugando	
beber	bebiendo	
besarse	besándose	
dormir	durmiendo	

1.
¿Qué están haciendo Daniel y sus amigos?
Ejemplo: *Pedro está fumando.*
        etc...

2.
Ejercita tu memoria.
    A cierra el libro
    B hace preguntas sobre el dibujo
Ejemplo: *B. ¿Quién está fumando? A* ....
                  B. ¿Qué está haciendo ...? A. Está ....
                  B. ¿Dónde está Asun? A. Al lado de ...., *enfrente de* ....

3. En parejas.
Habla por teléfono con tu compañero como si fuera uno de los personajes de cada dibujo.
Ejemplo: Pedro: ¿Diga?
             A: Pedro, ¿eres tú?
             Pedro: Sí, ¿quién eres?
             A: Soy ...
             Pedro: Hola, ¿qué tal?
             A: Muy bien. ¿Qué estás haciendo?
             Pedro: Estoy comiendo.
             A: Y Luisa, ¿qué está haciendo?
             Pedro: Está comiendo también.

Pedro y Luisa

Concha y Carmen

Utiliza este vocabulario

comer	oír música
hacer la cena	leer
ver la televisión	tomar una copa

Asun y Víctoria

Fernando y Ana

C. *Cajón de sastre: días, meses, cumpleaños, horóscopos,...*

ARIES. 21-III/20-IV
Estás en un buen momento para promocionar tu trabajo y adquirir nuevos conocimientos, aunque se te recomienda mostrarte paciente y calmado. Físicamente se te recomienda descansar y evitar las prisas.

TAURO. 21-IV/20-V
Un viaje puede abrirte nuevos horizontes debido a las posibilidades que vas a ver dentro de él. A nivel afectivo te mostrarás frío y distante. Físicamente es momento de evitar riesgos a la hora de hacer deportes.

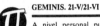
GEMINIS. 21-V/21-VI
A nivel personal puedes conseguir algún pequeño éxito, el reconocimiento de los demás por una acción rápida y bien llevada a término. Buen momento para compartir con tu pareja y comunicarse a un nivel profundo.

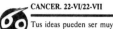
CANCER. 22-VI/22-VII
Tus ideas pueden ser muy bien acogidas por los demás, puedes llegar a ser el centro de atención dentro de un grupo. El deseo de actividad desenfrenada te llevará a cometer algunos errores o imprudencias.

LEO. 23-VII/22-VIII
Buen momento para preparar planes de cara al futuro, para evidenciar una mejor organización de tus asuntos y encaminarse a óptimos resultados. A nivel familiar, persistirán algunos puntos de incomprensión.

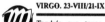
VIRGO. 23-VIII/21-IX
Tendrás que tener más fuerza y deseos de superación si quieres llegar a las metas que te has propuesto. Tu estado económico deja mucho que desear, sé prudente con lo que gastas y adminístrate mejor.

LIBRA. 22-IX/22-X
Entras en un momento en el que se requieren mejores contactos y relaciones con los demás para tener acceso a un ambiente fundamental para ti. Tus ánimos tienden a estar decaídos. No te dejes llevar por los demás.

ESCORPION. 23-X/21-XI
Tienes que saber lo que quieres y andar hacia tus objetivos sin tener miedo de ello, ya que sólo de esta forma conseguirás lo que quieres o lo que necesitas. Sobre todo no deberás dejarte dominar por los demás.

SAGITARIO. 22-XI/22-XII
Te sentirás más centrado y en el buen camino, sin las inseguridades de otros tiempos y con más fe en ti mismo. Estás en un buen momento, con sentimientos alegres y decidido a compartir todo con los demás.

CAPRICOR. 23-XII/21-I
Sigues en una dinámica de exceso de trabajo y de ilusiones, lo único que debe preocuparte es la posibilidad de cometer errores por despistes, o bien haber medido inexactamente las posibilidades reales que tienes.

ACUARIO. 22-I/21-II
Te sentirás muy presionado dentro del ambiente de trabajo, donde la libertad a tus iniciativas pasa por un periodo difícil y complicado. A nivel de pareja, será mejor que no hagas tantas concesiones importantes.

PISCIS. 22-II/20-III
Estás en un momento de expansión donde lo importante es tu disfrute personal y la consecución de los mejores objetivos que puedas conseguir. Buen momento para encontrar una pareja adecuada y disfrutar de la vida.

En parejas, redactad vuestra ficha de horóscopo.

¡tienes la palabra!

1. Di cuándo es el cumpleaños de todas estas personas, su horóscopo y edad.
Luis: 29-8-74. El cumpleaños de Luis es el veintinueve de agosto. Es virgo. Tiene...... años.

Carmen:	5-1-60
Pilar:	29-6-78
Enrique:	18-7-72
Aurora:	7-3-81
Pedro:	2-12-79

ENERO, FEBRERO, MARZO, ABRIL, MAYO, JUNIO, JULIO, AGOSTO, SEPTIEMBRE, OCTUBRE, NOVIEMBRE, DICIEMBRE.

2. En grupos, preguntad a los demás por su cumpleaños, horóscopo y edad.

3. Contesta estas preguntas:
1. ¿Cuándo es la fiesta nacional de tu país?
2. ¿Cuándo empieza/termina el curso?
3. ¿Cuándo es el cumpleaños de tu profesor?

¿Cómo...?

• **INVITAR O PROPONER**	A. ¿Vienes ...? ¿Quieres venir ...? ¿Vamos a...?
• **ACEPTAR**	B. Vale (¡estupendo!) De acuerdo
• **RECHAZAR**	B. No, gracias... Lo siento, no puedo
• **PREGUNTAR Y DECIR LA CAUSA**	A. ¿Por qué...? B. Porque ...
• **INSISTIR**	A. ¡Venga ...!
• **CONCERTAR UNA CITA**	¿Quedamos a las 10 en la puerta del cine?
• **EXPRESAR OBLIGACIÓN**	...tengo que estudiar.
• **DESCRIBIR ACCIONES PRESENTES**	...está haciendo los deberes.

CONTENIDO LINGÜÍSTICO

Gramática

• **Pronombres átonos de Objeto Directo**
ME
TE
LO, LA
NOS
OS
LOS, LAS

• **Colocación de los pronombres complemento con infinitivo o gerundio**

Tengo un coche nuevo...   { ¿quieres ver**lo**?
                            ¿**lo** quieres ver?

¡Date prisa!...................   { están esperándo**me**
                            me están esperando

- **TENER + QUE + INFINITIVO**
  (Obligación)

  tengo
  tienes
  tiene   + que + salir
  tenemos
  tenéis
  tienen

- **GERUNDIO**
  -AR -ando
  -ER |
  -IR | -iendo

- **Presente Continuo**

  estoy
  estás
  está
  estamos   + GERUNDIO
  estáis
  están

- **Más VERBOS en presente:**

JUGAR	OÍR
juego	oigo
juegas	oyes
juega	oye
jugamos	oímos
jugáis	oís
juegan	oyen

LÉXICO

amplía tu vocabulario

el cine
el teatro
la discoteca   jugar
el parque
el partido
la película

al fútbol
al baloncesto
al tenis
al dominó
a las cartas

MESES DEL AÑO

enero	julio
febrero	agosto
marzo	septiembre
abril	octubre
mayo	noviembre
junio	diciembre

¡OJO! Léxico de Hispanoamérica
beber = tomar
la comida = el almuerzo
la cena = la comida
la merienda = las once (Chile)
.....
Bebidas de Hispanoamérica:
tequila y **mezcal** en México
chichería en Colombia, Bolivia, Perú y Ecuador
mate (infusión) en Argentina, Perú...
guarapo en Colombia y Ecuador
mojito en Cuba
tinto en Colombia y en España
¡Cuidado!, **un tinto** en Colombia es una taza de café solo, pero en España es un vasito de vino tinto.
Si quieres pedir cerveza con gaseosa, en España tendrás que pedir **una clara**, pero en Hispanoamérica pedirás **un refajo**.

1. Escucha el diálogo y completa. (Ver los documentos de la página 96)

Día 18:
— Ir al cine con Charo.
— Peliculas: ....
— Cine: ....
— Hora: ....

2. Escucha estos cinco diálogos y contesta verdadero (V) o falso (F):

1. María está haciendo la cena.
2. El padre de Jaime está viendo una película en la tele.
3. Jaime está oyendo música.
4. Juan está estudiando en su habitación.
5. Ana está leyendo.

	V	F
1	✗	
2		
3		
4		
5		

3. CARTELERA DE ESPECTACULOS

LOS CINES
Numeradas

ARLEQUIN: San Bernardo, 5. Tel: 247 31 73. **Gringo Viejo**. Gregory Peck, Jane Fonda y Luis Puenzo hacen una película digna de ser admirada. Horario: 5, 7.30 y 10

CAPITOL: Gran Vía, 41. Tel: 222 22 29. **Las cosas del querer**. Tolerada. Pases: 4.30, 7 y 10.30

LIDO: Bravo Murillo, 200. Tel: 270 24 13. **Si te dicen que caí**. Un film de V. Aranda, con Victoria Abril y J. Gurruchaga. No recomendada a menores de 18 años. Pases: 4.30, 7.15 y 10.15

CALLAO: Pza. del Callao, 13. Tel: 522 58 01. **Sangre y arena**. La película del año. Su pasión eran los toros. Ella, su obsesión. Horario: 4.30, 7 y 10. Miércoles día del espectador.

LOS TEATROS

CALDERON: Atocha, 18. Tel: 239 13 33. **Carmen, Carmen**. Con Concha Velasco. Original de Antonio Gala. Música: Juan Cánovas. Todos los días: 7 y 10.45

PRINCIPE GRAN VÍA: Tres Cruces, 10. Tel: 521 80 16. **Cinco horas con Mario**. Con Lola Herrera. Obra de Miguel Delibes. Dirigida por Josefina Molina. Diez años de éxito. Horario funciones: 7.30 y 10.30. Miércoles descanso

VARIOS

FESTIVAL MUNDIAL DEL CIRCO: Paseo de Rosales. Principales atracciones de circo, fieras, leones, osos gigantes, perritos comediantes, y para los peques, Fofito y Rudi, ídolos de los niños. Función: 6.30. Tarde. Sábado: 5 y 7.30. Domingo: 12, 5 y 7

MUSEO DE CERA: Pza. de Colón. Tel: 308 08 25. Abierto todos los días de 10.30 a 13.30 y de 16 a 20 horas.

PARQUE DE ATRACCIONES de la Casa de Campo. Tel: 463 29 00. Horario: de 11 a 21 horas. Domingos y festivos de 11 a 22 horas.

PLANETARIO DE MADRID: Parque de Tierno Galván. Programa: Cuentos de verano, lunes cerrado. Tardes sesiones de: 17.30 y 18.45

En parejas. Mirad la cartelera de espectáculos y quedad con varios compañeros para hacer cosas diferentes durante la semana.

A
A₁ Pregunta a B si quiere ir al cine/teatro/ circo/etc.
A₂ Dice algunas
A₃ Contesta
A₄ Contesta
A₅ Dice dónde y da la dirección a B
A₆ Se despide

B
B₁ Pregunta qué películas/obras... hay
B₂ Prefiere ir al teatro y dice lo que quiere ver.
B₃ Pregunta a qué hora empieza.
B₄ Pregunta dónde quedan
B₅ Se despide

1. Escucha y repite.

¡qué bonitos!
¡Hombre!, ¡estupendo!
¡Venga!
¡Qué guapa es tu novia!

2. Escucha y di si las frases son exclamativas o no.

	1	2	3	4	5
exclamativas					
no exclamativas					

D E S C U B R I E N D O

Si quieres ir al museo, puedes ir cualquier día menos los lunes. Los lunes cierran los museos.

Si quieres introducirte en la "movida madrileña" acércate a conocer a la gente y los lugares de moda: exposiciones, discotecas, salas de fiesta, estrenos teatrales, tertulias, cafés...

Si quieres ver una buena película debes ir los miércoles: es más barato.

Fiestas y tradiciones

escubriendo...

d

Danza de los hombres voladores

Esta danza tiene lugar el día 4 de octubre.

Se coloca un árbol o palo frente a la iglesia del pueblo. Varios hombres, atados por los pies al vértice del palo, giran alrededor, colgados en el vacío.

La fiesta de los Muertos

Fiesta típica de México. El día de los muertos la familia prepara una gran comida con los platos preferidos del familiar muerto.

Los carnavales de Bolivia

Los carnavales de Bolivia y del norte de Argentina son muy famosos. Esta fiesta está animada por cantos y bailes folklóricos. Los trajes de los carnavales son muy elaborados y vistosos.

UNIDAD 9

Amanecer en Totora

UNIDAD 9

Título   AL AIRE LIBRE

Objetivos Comunicativos
- Expresar intenciones
- Proponer alternativas
- Expresar desconocimiento
- Expresar probabilidad o duda
- Expresar indiferencia
- Responder expresando incertidumbre

Objetivos Gramaticales
- Marcadores temporales (I)
- Ir + a + Infinitivo
- Verbos impersonales
- Colocación del pronombre reflexivo
- Presente de Indicativo de ir

Objetivos Culturales
- Turismo español: lugares y monumentos de interés
- El clima en España y en Hispanoamérica

Pronunciación
- Acentuación de palabras de tres o más sílabas

Léxico
- Lugares de esparcimiento
- El tiempo: climas

A. *¡Qué calor!*

Los amigos están en la piscina

Irene: ¡Uf! ¡Qué calor hace! Vamos a bañarnos.
Paula: ¡Espera!, voy a llamar a Enrique.
¡Enrique!, nosotras vamos a bañarnos, ¿vienes?
Enrique: No, ahora no, dentro de un rato. Quiero tomar el sol.
Irene: Vale, hasta luego. ¡Vamos, Paula!
Paula: ¿Vamos a tomar algo al bar? Tengo mucha sed.
Irene: Yo no espero más, me voy al agua.

¡tienes la palabra!

> **Para ayudarte:**

(Yo) VOY a bañarme
(Tú) VAS a bañarte
(Él) VA a bañarse
(Nosotros) VAMOS a bañarnos
(Vosotros) VAIS a bañaros
(Ellos) VAN a bañarse

Ahora
Esta tarde/noche
El fin de semana próximo
El mes que viene
Dentro de...

1. En parejas. Pregunta a tu compañero qué va a hacer esta tarde / el fin de semana próximo...

2. En parejas. Pregunta a tu compañero cuándo va a:
— irse de vacaciones.   — ir a una fiesta.
— casarse.   — ir al cine.

3.

Ahora mira el dibujo de A y di qué están haciendo o van a hacer las personas que están en la piscina.

Ejemplo:

*Los niños **están comiendo**. La señora **va a comer**.*

tomar el sol - leer - oír la radio - comprar un bocadillo - beber un refresco - ducharse

B.

Sole llama a su madre.

Lola:	¡Diga!
Sole:	Mamá, soy Sole.
Lola:	¡Hola, hija!, ¿vienes esta noche o no?
Sole:	Sí, ya tengo billete.
Lola:	¡Qué bien!, ¿a qué hora llegas? ¿a las diez?
Sole:	Sí, creo que sí.
Lola:	Bueno, hija, ¿qué quieres para cenar?
Sole:	Me da igual, mamá.
Lola:	¡Ah! ¿vamos a la playa por la mañana?
Sole:	No, prefiero dormir.
Lola:	¡Vale!
Sole:	Oye, mamá, ¿venís a la estación?
Lola:	No sé, yo no puedo ir pero voy a preguntar a tu hermano Juan. Espera un momento...

¡tienes la palabra!

A. ¿Vienes esta noche o no?	B. Sí creo que sí no sé creo que no No

A. ¿Quieres ir al cine o al teatro?	B. Prefiero... Me da igual.

Para ayudarte:

1.

Por parejas: A propone hacer algo (como en el ejemplo)
B responde.

Ejemplo: *A. ¿Vamos al parque o al museo?*
B. — Me da igual.
— Prefiero ir al parque.

parque/museo playa/montaña cine/teatro bar/discoteca nadar/jugar al tenis

2. ¿Cómo contestarías a las preguntas siguientes?

¿Bolivia tiene costa?

¿La moneda de Perú es el peso?

¿Oaxaca está en México?

¿Hay estaciones de esquí en Andalucía?

¿Se habla español en Brasil?

C. *Cajón de sastre: ¿qué tiempo hace?*

Thomas charla con Pilar.

Thomas:	¿Qué tiempo hace en España en verano, Pilar?
Pilar:	Bueno, depende. En el norte la temperatura es buena pero a veces llueve. En el sur hace mucho calor.
Thomas:	¿Y en invierno?
Pilar:	En el centro hace frío. En las montañas altas nieva, pero en el sur la temperatura es muy agradable.
Thomas:	¿Y en la costa? ¿Puedes bañarte en invierno?
Pilar:	Hummm... No sé. Hace mucho viento. En la costa mediterránea no hace frío. Puedes bañarte. Oye, ¿por qué me preguntas todo esto? ¿vas a venir a España de vacaciones?

hace	frío sol calor viento	llueve nieva	está nublado

LAS ESTACIONES

la primavera,
- llueve

el verano,
- hace sol
- hace calor

el otoño,
- está nublado
- hace viento

el invierno,
- hace frío
- nieva

¡*tienes la palabra!*

Mira el mapa y la lista de temperaturas.
¿Dónde hace frío/calor?
¿Dónde está nublado/hace sol?
¿Dónde está lloviendo/nevando?
¿Qué tiempo hace ahora en tu país?

El tiempo — El País, domingo 25 de abril

EL TIEMPO

C. Hernández Antón

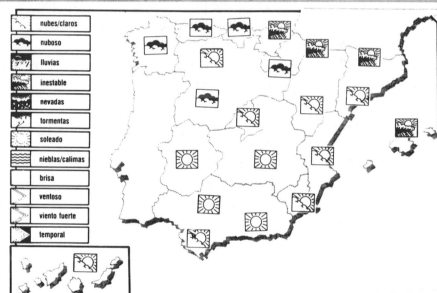

| nubes/claros |
| nuboso |
| lluvias |
| inestable |
| nevadas |
| tormentas |
| soleado |
| nieblas/calimas |
| brisa |
| ventoso |
| viento fuerte |
| temporal |

Más soleado y mejor temperatura

Se estabiliza la atmósfera en la mayor parte del territorio nacional, con predominio del tiempo seco y de los cielos parcialmente nubosos, que dará lugar a disfrutar de un ambiente más soleado y agradable durante el día. La mayor nubosidad se centrará principalmente en el Cantábrico oriental, alto Ebro y norte de Cataluña y Baleares, así como por la tarde en las áreas montañosas del interior peninsular. Se formarán brumas y bancos de niebla matinales.

ANDALUCIA. Máxima, de 18 a 22; mínima, de 1 a 10. Predominio de los cielos poco nubosos o depejados, con ambiente primaveral durante el día. Brumas y nieblas en la costa. Marejadilla.

ARAGON. Máxima, de 10 a 18; mínima, de 2 a 9. Predominio de los cielos parcialmente nubosos en las cumbres montañosas. Grandes claros o cielos despejados en el resto. Nieblas matinales en el valle.

ASTURIAS. Máxima, de 14 a 16; mínima, de 8 a 11. Cielos nubosos o parcialmente nubosos, con brumas y bancos de niebla matinales y ambiente más templado durante el día. Areas de marejada.

BALEARES. Máxima, de 18 a 20; mínima, de 6 a 11. Intervalos nubosos, más frecuentes en el norte de las islas, con ambiente más templado y menos ventoso. Nieblas matinales. Marejada.

CANARIAS. Máxima, de 18 a 22; mínima, de 14 a 17. Predominio de los cielos nubosos o parcialmente nubosos durante el día, con tiempo menos inestable. Ambiente templado y marejada.

CANTABRIA. Máxima, de 13 a 15; mínima, de 10 a 12. Cielos nubosos o parcialmente nubosos, con brumas y bancos de niebla matinales y ambiente más templado durante el día. Areas de marejada.

CASTILLA Y LEON. Máxima, de 10 a 16; mínima, de 1 a 5. Predominio de los cielos nubosos o parcialmente nubosos en las áreas montañosas. Grandes claros en el resto. Nieblas mañaneras. Más templado. Fresco nocturno.

CASTILLA-LA MANCHA. Máxima, de 15 a 18; mínima, de 1 a 6. Predominio de los cielos parcialmente nubosos o despejados, con ambiente más templado durante el día. Nieblas o neblinas matinales.

CATALUÑA. Máxima, de 15 a 19; mínima, de 3 a 9. Nuboso y ligeramente inestable en los Pirineos. Parcialmente nuboso o despejado en el resto. Suave. Bancos de niebla matinales. Marejadilla.

ESTRECHO. Máxima, de 19 a 23; mínima, de 12 a 15. Tiempo seco y cielos poco nubosos o despejados, con vientos flojos variables. Ambiente templado. **Melilla:** Grandes claros y suave.

EUSKADI. Máxima, de 10 a 14; mínima, de 5 a 10. Cielos nubosos o parcialmente nubosos, con brumas y bancos de niebla matinales y ambiente más templado durante el día. Ligera inestabilidad aislada. Marejada.

EXTREMADURA. Máxima, de 19 a 21; mínima, de 6 a 9. Predominio de los cielos parcialmente nubosos o despejados, con ambiente más templado durante el día. Nieblas o neblinas matinales.

GALICIA. Máxima, de 12 a 18; mínima, de 5 a 11. Cielos nubosos o parcialmente nubosos, con bancos de niebla o brumas matinales y ambiente más templado durante el día. Areas de marejada.

MADRID. Máxima, de 15 a 17; mínima, de 2 a 4. Tiempo seco y ambiente primaveral y soleado durante gran parte del día. Nubes desarrolladas por la tarde en la sierra. Fresco nocturno.

MURCIA. Máxima, de 22 a 24; mínima, de 5 a 7. Tiempo seco y estable, con cielos parcialmente nubosos o despejados, con algunas brumas o bancos de niebla matinales. Suave. Marejadilla.

NAVARRA. Máxima, de 12 a 14; mínima, de 6 a 8. Cielos nubosos o parcialmente nubosos, con brumas y bancos de niebla matinales y ambiente más templado durante el día. Ligera inestabilidad.

RIOJA. Máxima, de 13 a 15; mínima, de 6 a 8. Cielos nubosos o parcialmente nubosos, con bancos de niebla o brumas matinales y ambiente más templado durante el día. Fresco matinal.

VALENCIA. Máxima, de 19 a 21; mínima, de 7 a 9. Tiempo seco y estable, con cielos parcialmente nubosos o despejados y con algunas brumas o bancos de niebla matinales. Primaveral. Marejadilla.

EXTRANJERO

Amsterdam	S, 7-15	México	A, 14-25
Atenas	t, 12-23	Miami	A, 20-26
Berlín	S, 8-17	Montevideo	S, 10-22
Bonn	S, 8-16	Moscú	S, 5-12
Bogotá	t, 10-22	Munich	I, 8-17
Bruselas	S, 9-16	N. York	S, 6-19
B. Aires	t, 12-21	Oslo	CH, 5-15
Cairo, El	A, 15-30	Panamá	C, 20-32
Caracas	A, 17-27	París	S, 5-16
Copenhague	CH, 8-16	Pekín	S, 10-24
Dublín	V, 5-9	Quito	t, 11-23
Estocolmo	CH, 4-13	Rabat	t, 14-25
Francfort	I, 7-15	R. Janeiro	C, 19-32
Ginebra	V, 8-16	Roma	S, 10-20
Guatemala	A, 15-27	San Juan	C, 21-32
Habana, La	C, 22-28	S. Salvador	C, 20-30
Hamburgo	I, 8-17	S. Domingo	S, 11-20
Lima	A, 15-26	Santiago	N, 12-20
Lisboa	t, 12-19	Seúl	S, 12-20
Londres	V, 8-15	Tokio	t, 14-24
Los Angeles	A, 16-27	Viena	CH, 6-12
Managua	C, 20-30	Washington	S, 11-24
Manila	B, 26-33	Zurich	V, 8-17

Abreviaturas: CH: Chubascos. LL: Lluvias. T: Tormentas. ll: Lloviznas. S: Seco/soleado. N: Nubes, nieblas, calimas. n: Nieve. V: Nubes-claros. I: Inestable-inseguro. A: Agradable. T: Templado. D: Destemplado/desapacible. f: Fresco. F: Frío. G: Glacial/gélido. B: Bochornoso. C: Caluroso.

CONTENIDO COMUNICATIVO

¿Cómo…?

• **EXPRESAR INTENCIONES**	¡Qué calor! Voy a bañarme…
• **PROPONER ALTERNATIVAS**	¿Fumador o no fumador?
• **EXPRESAR DESCONOCIMIENTO**	No sé
• **EXPRESAR PROBABILIDAD O DUDA**	No sé… Creo que sí
• **EXPRESAR INDIFERENCIA**	Me da igual
• **RESPONDER EXPRESANDO INCERTIDUMBRE**	A. En España, ¿hace frío o calor? B. Bueno… depende…

CONTENIDO LINGÜÍSTICO

Gramática

IR A + INFINITIVO (intención)

voy vas va vamos vais van	+ a + infinitivo

- **Cuando el verbo va en infinitivo, el pronombre puede ir detrás de él o antes del verbo auxiliar.**
  Ejemplo: *Juan va a ducharse.*
  Juan se va a duchar.

- **El verbo es impersonal cuando hablamos del tiempo: no lleva sujeto.**
  Ejemplo: *Está lloviendo — hace frío — nieva*

Tienes que saber…

amplía tu vocabulario

el campo
la piscina
la playa
la montaña
el sol
la lluvia
la nieve
las vacaciones
el fin de semana
el billete
norte
sur
este
oeste
centro

Un **chiste** es una historia divertida muy corta.

¿Pillas el chiste?

— Camarero, una tortilla por favor.
— ¿La quiere francesa o española?
— Me da igual, ¡no voy a hablar con ella!

¡OJO! Léxico de Hispanoamérica

la piscina = la pileta (Arg.) la alberca (Méx.)
el campo = la milpa (Méx.)
hacerse daño = lastimarse (Arg.)
En los países hispanoamericanos del hemisferio sur, el **verano** comprende los meses de diciembre, enero y febrero; el **invierno** comprende los meses de junio, julio y agosto.

1.

Lee el texto y contesta

Antonio: ¿Cuándo te vas, por fin, de vacaciones?

Luis: No sé, yo quiero irme en julio o en agosto, pero antes tengo que hablar con mi jefe. Y tú, ¿cuándo te vas?

Antonio: Yo, dentro de quince días. El 1 de junio cojo el avión. Ya tengo el billete.

Luis: ¡Qué bien! ¿Y adónde vas este año?

Antonio: A México. Voy a estar todo el mes de julio porque quiero conocerlo muy bien.

Luis: Pues yo me quedo en España. No sé si ir a la playa o a la montaña, me da igual. Sólo quiero descansar y olvidarme del trabajo.

a) ¿Cuándo quiere irse Luis de vacaciones?

b) ¿Qué tiene que hacer antes de irse de vacaciones?

c) Y Antonio, ¿cuándo se va y adónde?

d) ¿Cuánto tiempo va a estar allí?

e) ¿Adónde va a ir Luis de vacaciones?

2.

En grupos: organizad un viaje corto por España. Tenéis que decidir:

- ADÓNDE vais (playa, montaña, ciudad)
- CÓMO vais (tren, coche, autobús,...)
- DÓNDE dormís (hotel, cámping, casa particular...)
- POR QUÉ habéis elegido ese lugar.
- otros detalles.

Después, explicad vuestros planes a vuestros compañeros de la clase:

vamos a ir...

vamos a visitar/ver...

vamos a esquiar/nadar...

a ctividades.

Escucha estas palabras y observa cuál es la sílaba más fuerte

próximo   boca**di**llo
se**ma**na   mon**ta**ña
esta**ción**   **prác**tico

Ahora escucha las siguientes palabras y ordénalas según la sílaba más fuerte:

México	bi**lle**te	fuma**dor**

DESCUBRIENDO

El año en refranes...

En enero, se hiela el
agua en el puchero

En febrero,
busca la sombra el perro

Marzo ventoso
abril lluvioso
hacen a mayo
florido y hermoso

En junio,
la hoz en el puño

Julio caliente,
quema al más valiente

Luna de agosto y
frío en rostro

Septiembre, se lleva los puentes
o seca las fuentes

En octubre,
la hoja el campo pudre

En noviembre, haz la matanza
y llena la panza

En diciembre, sale el sol
con tardura y poco dura

El mes de enero en el mundo

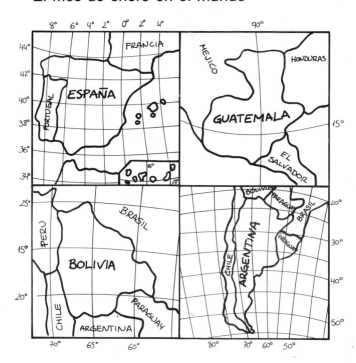

El Clima de Hispanoamérica

En Hispanoamérica, desde México hasta la Tierra de Fuego en Argentina, se dan todos los climas. En México, Centroamérica y Sudamérica, excepto en el Cono Sur (Uruguay, Chile y Argentina), el clima es tropical o subtropical, y sólo hay dos estaciones, la lluviosa y la seca, muy caluroso todo el año si exceptuamos las zonas montañosas. En algunos picos de los Andes hay nieve todo el año.

En Uruguay, Chile y Argentina, por estar en zona templada, hay cuatro estaciones. Pero, por su situación en el hemisferio sur, los meses de verano corresponden a los de invierno en España y Europa y los de primavera, al otoño.

Busca cuatro ejemplos de países donde...

— hay dos estaciones: la húmeda y la seca
— hay cuatro estaciones

¿A qué estación corresponde el mes de mayo en los siguientes países?

— Guatemala
— Venezuela
— Chile
— Cuba

En España es invierno.

En Guatemala es la estación seca.

En Bolivia es la estación húmeda.

En Argentina es verano.

descubriendo...

TEST 3

Repaso unidades 7, 8 y 9

1. Completa con: kilo, litro, botella, docena, gramos, lata.

a. ¿Dónde está la botella de agua?
b. Oiga, por favor ¿Cuánto vale una _docena_ de rosas?
c. En la cocina hay una _lata_ de atún.
d. Isidro toma medio _Litro_ de leche para desayunar.
e. Compra un _kilo_ de arroz para la paella.
f. Trescientos _gramos_ de jamón, por favor.

2. Ordena el diálogo.

3 A. ¿De qué talla?
9 B. Buenas tardes.
5 C. Aquí tiene la talla 48.
2 D. Una chaqueta negra.
7 E. Esta azul es más estrecha, pero es más cara.
1 F. Buenas tardes, señor, ¿qué desea?
8 G. Es muy elegante. Bueno, sí, me la llevo.
6 H. No está mal, pero prefiero una más estrecha.
4 I. De la 48.

3. Pon las frases en el tiempo adecuado.

Ejemplo:
  a. ¿Está Marta?
  b. Sí, soy yo.
  a. Marta, soy Cloti ¿Qué (hacer)? _Haces_ estás haciendo
  b. (oír música) _oigo musica_
  a. Y Paco, ¿está ahí?
  b. Sí, (ver la tele) _ve la tele_

a. Tus padres no están, ¿verdad?
b. No, (cenar fuera) _Cenan fuera._
a. ¡Ah! Es que yo no (hacer nada). _Hago nada_ ¿Quieres ir al teatro a las 10?
b. Lo siento, no puedo, (esperar a unos amigos alemanes) _espero_
a. Bueno, pues hasta luego.
b. Adiós.

4. ¿Te acuerdas de...

— cuándo es el cumpleaños de tu madre? _El cumpleaños de mi madre es_
— cuándo es el cumpleaños de tu mejor amigo?
— cuándo empiezan las vacaciones?
— cuándo es el próximo examen?
— cuándo empieza la primavera?

5. Hablemos del tiempo

Ejemplo:
¿Qué tiempo hace en Inglaterra en Febrero?
Hace frío y nieva.
Ahora di el tiempo que crees que hace en:
España en agosto: _hace calor._
México en verano: _hace mucho calor_
Grecia en diciembre: _hace fresco_
Argentina en enero: _hace frío calor_
Alemania en otoño: _hace_

6. ¿QUE VAN A HACER LAS SIGUIENTES PERSONAS?

Van a.
Va a.

Casarse.

Ducharse.

ver la tele.   _jugar al tenis_   _a nadar_   _Comprar un helado_

UNIDAD **10**

Arancha Sánchez Vicario
Ganadora Roland Garros

UNIDAD 10

Título

¿QUÉ HAS HECHO?

Objetivos Comunicativos

• Hablar de hechos pasados
• Justificarse
• Preguntar por la salud
• Hablar de la salud
• Expresar una acción terminada

Objetivos Gramaticales

• Marcadores temporales (II)
• Participios
• Pretérito Perfecto
• Pretérito Indefinido (1.ª pers.) de estar, ir
• Presente de Indicativo de doler

Objetivos Culturales

• Pintura española e hispanoamericana: Goya, El Greco, Velázquez, Dalí, David Alfaro Siqueiros, Oswaldo Guayasamín

Pronunciación

• Pronunciación y ortografía de ''c'', ''z'', ''qu''

Léxico

• Partes del cuerpo humano. La salud

Objetivos.

Es que no he tenido tiempo.

Marisa y Tomás llegan tarde a la oficina.

Marisa y Tomás: ¡Buenos días!
Gerente: ¡Hola!, ¡pasen!. Marisa, ¿por qué ha llegado usted tarde?
Marisa: Lo siento. He estado en el médico.
Gerente: Está bien. Y usted, Tomás, ¿por qué ha llegado tarde?
Tomás: Es que... he perdido el autobús.
Gerente: ¡Vaya, hombre! ¡A ver!, ¿han preparado ya los balances?
Marisa: Sí, yo ya he terminado.
Tomás: Yo, todavía no. Es que no he tenido tiempo.

¡tienes la palabra!

Para ayudarte:

A. ¿Por qué **has llegado** tarde?
B. Es que **he perdido** el autobús.

		¡OJO!
LLEG**AR**	LLEG**ADO**	HACER
PERD**ER**	PERD**IDO**	**HECHO**
VIV**IR**	VIV**IDO**	

1.

En parejas.

A pregunta y B responde:
A. *¿Por qué has llegado tarde?*
B. *(PERDER EL AUTOBUS) Es que he perdido el autobús.*
A. *Está bien...*

A
¿Por qué...
...has llegado tarde?
...no has llamado por teléfono?
...no has comprado el periódico?
...no has venido a comer a casa?
...llevas la camisa sucia?

B
Es que...
...no (PODER)
...no (OIR) el despertador
...(COMER) con un amigo
...no (TENER) tiempo
...(CAERSE)

2.

Mira los dibujos. ¿Qué ha hecho hoy Manolo?

3. Pregunta a tu compañero:

— ¿Has tomado café?
— ¿Has venido en taxi?
— .....

B. ¿Dónde has estado este verano?

Iñigo: ¿Qué has hecho este verano?
Rafa: He estado en Egipto, en un viaje organizado. Me lo he pasado muy bien. ¿Has estado tú en Egipto alguna vez?
Iñigo: Sí, estuve allí hace dos años. Fui con unos compañeros de trabajo.
Rafa: Y tú, ¿qué has hecho este verano?
Iñigo: Pues yo no he salido de España. En julio fui a la playa y en agosto estuve en el pueblo, en casa de mis padres.

¡tienes la palabra!

en julio	
agosto	
...	
hace una semana	ESTUVE...
dos meses	FUI...
tres años	
...	
el mes pasado	
año	
ayer	

Para ayudarte:

este verano	HE VISTO...
mes	HE ESTADO...
año	HE HECHO...
...	NO HE SALIDO...
hoy	

''¿Qué tal las vacaciones?''
''¡Me lo he pasado muy bien!''

1. En parejas. Pregunta a tu compañero.

A

— ¿Has estado alguna vez en París/Madrid/México/África/...

— ¿Cuándo/con quién/cómo?

B

— No, no he estado nunca.
— Sí, estuve...
— Hace tres años,/fui con.../fui en tren/...

2. ¿Cuáles de estas cosas has hecho? Explica cuándo, dónde, etc...

¿Has hablado con una persona muy famosa?

¿Has estado muy enfermo/a?

¿Has tenido un accidente muy grave?

¿Has visto un terremoto/huracán/volcán?

¿Has escrito poemas?

C. *Cajón de sastre: el cuerpo humano*

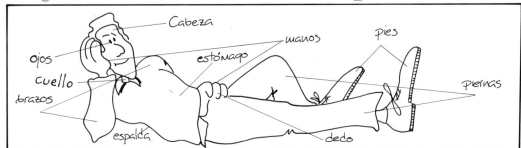

Inés: ¡Mamá!, José Mª está llorando, no puede andar.

Madre: José Mª, ¿qué te ha pasado? ¿Te encuentras bien? ¿Qué te duele?

José Mª: Me he caído de la bici, me duele mucho esta pierna.

Madre: ¡Vamos al puesto de socorro! Allí hay un médico. Creo que se ha roto una pierna.

¡tienes la palabra!

Para ayudarte:

A. ¿Qué te duele?
B. (A mí) me duele esta pierna.

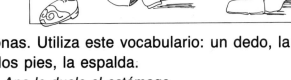

1. Di qué les duele a estas personas. Utiliza este vocabulario: un dedo, la cabeza, la garganta, los ojos, los pies, la espalda.

Ejemplo: *Anoche Ana cenó demasiado.   A Ana le duele el estómago.*

a) Ayer Juan estuvo todo el día tomando el sol.

b) José tomó agua muy fría.

c) Mª Luisa ha estado toda la noche viajando en autobús.

d) Rosa ha andado mucho.

e) Julia anoche estuvo leyendo hasta muy tarde.

f) Concha se ha cortado con un cuchillo.

g) Andrés ha estado todo el día escribiendo a máquina.

2. En parejas. A señala distintas partes de su cuerpo y B dice el nombre.

Tienes que saber...

¿Cómo...?

• **HABLAR DE HECHOS PASADOS**	Este verano he estado en España. Ayer fui al cine.
• **JUSTIFICARSE**	A. ¿Por qué no has terminado los ejercicios? B. Lo siento. **Es que...**
• **PREGUNTAR POR LA SALUD**	¿Te encuentras bien? ¿Cómo te encuentras? ¿Qué te pasa?
• **HABLAR DE LA SALUD**	Me duele... Tengo fiebre/dolor de... Me he roto/cortado/...
• **EXPRESAR UNA ACCIÓN TERMINADA**	**Ya** he leído El Quijote
• **EXPRESAR UNA ACCIÓN EMPEZADA, NO TERMINADA**	**Estoy leyendo** El Quijote
• **EXPRESAR UNA ACCIÓN NO EMPEZADA**	**Todavía no** he leído El Quijote

Gramática

Pretérito Perfecto

HE
HAS
HA
HEMOS   LLEGADO
HABÉIS
HAN

Participio Pasado

-ar   -ADO
-er   -IDO
-ir   -IDO

Pretérito Indefinido

ESTAR	ESTUVE (yo)
IR	FUI (yo)

Participios Pasados irregulares

HACER	HECHO
ESCRIBIR	ESCRITO
DECIR	DICHO
VER	VISTO
ABRIR	ABIERTO
VOLVER	VUELTO
PONER	PUESTO
ROMPER	ROTO

Expresiones de tiempo

Hoy			
Esta	mañana tarde noche semana		
Este	mes año	**he estado** en España.	**Con Pretérito Perfecto**
¿Alguna vez?			
Nunca			
Ya/Todavía no			

Ayer			
Hace dos	meses años días		
El	mes año	pasado	**estuve** en España.	**Con Pretérito Indefinido**
La semana pasada			

Presente de DOLER, como GUSTAR

ME TE LE NOS OS LES	duele la cabeza duelen los pies

LÉXICO

amplía tu vocabulario

los dientes	el médico	encontrarse bien/mal
las muelas	el dentista	hacerse daño
el corazón	la enfermedad	caerse
la rodilla		cortar(se)
		gritar

ienes que saber...

1. ¿Qué le ha pasado a cada uno?. Completa la frase con el nombre correspondiente.

LOLA   ANTONIO   PÍO   CARLOS

....ha bebido demasiado.

....ha aprobado el examen.

....se ha roto una pierna.

....ha tomado demasiado el sol.

2. **¡Adiós a las vacaciones!**

2.1 Es el último día de vacaciones para los Peláez. Tienen que recogerlo todo en su apartamento de la playa. Pero tardan mucho porque no les gusta tener que irse. Mira este dibujo y di lo que tienen que hacer. Usa los verbos de **para ayudarte**.

Para ayudarte:

APAGAR la tele	PREPARAR las maletas
FREGAR los platos	HACER las camas
RECOGER los juguetes	DUCHARSE
	CERRAR las persianas

Ahora, mira en la página siguiente el dibujo 2.2

a ctividades.

2. 2 Ha pasado una hora. Observa lo que ha hecho cada uno de los personajes:

Juan **ya** ha fregado los platos.

Gonzalo **todavía** no ha recogido sus juguetes.

¡No mires el primer dibujo! Intenta recordar qué ha hecho **ya** cada uno y qué **no** ha hecho **todavía**.

3. Lee y responde:

Largo fin de semana

Lunes, 16 de octubre

Este fin de semana ha sido muy ajetreado en las carreteras españolas, debido al "puente". Más de un millón de madrileños han aprovechado la festividad de la Virgen del Pilar para disfrutar en las playas de Alicante o en la Sierra de Madrid los últimos días cálidos antes del invierno. Los atascos más importantes se han producido en la salida de las carreteras Nacionales VI, a la Coruña, y IV, a Andalucía.

¿Verdadero o falso?

1. Muchos madrileños van a las playas de La Coruña cuando hay puente.
2. Falta poco para el invierno.
3. Ha habido muchos atascos en el puente del Pilar.
4. Algunos madrileños han tenido tres días de puente.
5. Sólo ha habido atascos en dos carreteras.

	V	F
1		
2		
3		
4		
5		

a **ctividades.**

pronunciación...

Pronunciación y Ortografía: C, Z, Q

''— La B con la A hace BA, y la C con la A hace ZA...
— Pues no, la C con la A, hace KA, y la C con la I hace CI y la C con la E hace CE y la C con la O hace KO...
— Señorito Lucas, y ¿por qué estos caprichos?
— Es la gramática, oye, el por qué pregúntaselo a los académicos''.

''Los Santos Inocentes'' de Miguel Delibes

1. Escucha estas palabras y repítelas. Atención al primer sonido.

/ θ /	/ k /
cero	querer
zapato	caro

¡cuidado!

	a	e	i	o	u
/k/	ca	que	qui	co	cu
/θ/	za	ce	ci	zo	zu

2. Escucha estas palabras. ¿Cuáles empiezan con el mismo sonido que ''cero, zapato'' y cuáles con el de ''querer, caro''?

/ θ /	/ k /
cero	caro

cosa, zona, cero, casa, cine, queso, zumo, quien, cuello, zapato.

DESCUBRIENDO

descubriendo...

A un hombre de gran nariz

Erase un hombre a una nariz pegado,
érase una nariz superlativa,
érase una alquitara medio viva,
érase un peje espada mal barbado;

érase un reloj de sol mal encarado,
érase un elefante boca arriba,
érase una nariz sayón y escriba,
un Ovidio Nasón mal narigado.

Erase el espolón de una galera,
érase una pirámide de Egipto,
las doce tribus de narices era;

Erase un naricísimo infinito,
frisón archinariz, caratulera,
sabañón garrafal, morado y frito.

Francisco de Quevedo (s. XVII)

escubriendo...

La Noche de los Ricos
Diego Rivera (Méjico, 1886-1957)

Mural de la Revolución
Alfaro Siqueiros (Méjico, 1898-1974)

Lágrimas de Sangre
Oswaldo Guayasamin (Ecuador, 1919)

Gala
Salvador Dalí (Figueras, 1904-1989)

Martirio de San Bartolomé
El Greco (1541-Toledo, 1614)

La Venus del Espejo
Velázquez (Sevilla, 1599-Madrid, 1660)

¿Qué cuadro te parece más...
— triste?
— alegre?
— impresionante?
— bello?
— dramático?

¿Qué otras palabras usarías para describir alguno de estos cuadros?
¿Cómo son los personajes de los cuadros?

UNIDAD 11

Patio de los Leones - La Alhambra Granada
Fotógrafo Brotons.

UNIDAD 11

Título	AYER
Objetivos Comunicativos	• Interesarse por el estado de alguien • Describir estado de personas y objetos • Hablar de hechos pasados
Objetivos Gramaticales	• Indefinidos • Forma negativa (II) • Uso de las preposiciones EN, A, DES-DE, ENTRE, HASTA
Objetivos Culturales	• Cantantes españoles: Mecano, Serrat, J. Iglesias, Rocío Jurado • Cantantes hispanoamericanos: Silvio Rodríguez, Mercedes Sosa, Los Calchaquis
Pronunciación	• Acentuación de las formas verbales
Léxico	• Estados de ánimo • Citas

Objetivos.

A. *Sospechosos*

1. Álvaro tiene problemas con su novia Cristina

A: ¿Por qué no me llamaste ayer?

C: Es que estuve en la oficina hasta las nueve. Luego tuve una cena de negocios con un cliente y lo llevé a su hotel...

A: Ya. Y después te fuiste a la discoteca, ¿no?

C: ¡Cómo eres! Me fui a casa, a dormir.

A: ¿Y por qué no me llamaste desde la oficina o el restaurante?

C: Bueno, yo... es que...

2. Quique tiene problemas con el inspector de policía

I: ¿Qué hizo usted el viernes pasado desde las 7 hasta las 12 de la noche?

Q: El viernes fui al cine Liceo. Entré en el cine a las 7 aproximadamente y salí a las 9.

I: ¿Habló usted con alguien en el cine, con el acomodador, con el camarero del bar...?

Q: No, no hablé con nadie.

I: Bien. Y después del cine, ¿adónde fue?

Q: A un restaurante, el ''Don Pancho''. Cené con unos amigos.

I: ¿A qué hora llegó a este restaurante?

Q: Creo que llegué allí a las nueve y media o diez menos cuarto.

I: El ''Don Pancho'' está muy cerca del cine Liceo. ¿Dónde estuvo entre las nueve y las nueve y media?

Q: Eeeeh... pues yo... estuve... No me acuerdo...

¡tienes la palabra!

CENAR	cen**é**	cen**aste**	cen**ó**
COMER	com**í**	com**iste**	com**ió**
SALIR	sal**í**	sal**iste**	sal**ió**

Para ayudarte:

ESTAR	estuve	estuviste	estuvo
TENER	tuve	tuviste	tuvo
HACER	hice	hiciste	hizo
IR(SE)	(me) fui	(te) fuiste	(se) fue

1. En parejas.

Consultad la agenda de Pedro para la semana pasada. A y B tienen cada uno esta agenda incompleta. Se preguntan sobre los datos que faltan y cada uno completa su agenda.

Ejemplo:
A. *¿Qué hizo Pedro el jueves por la tarde?*
B. *(El jueves por la tarde) hizo la compra.*

B. *¿Y qué hizo Pedro el jueves por la mañana?*
A. *(El jueves por la mañana)...*

A.

	lunes	martes	miércoles	jueves	viernes	sábado	domingo
mañana	DENTISTA			ENTREVISTAS	TENIS		
tarde		CINE	EXPOSICIÓN MUEBLES			CENA CON CHARO	COMER CON PADRES

B.

	lunes	martes	miércoles	jueves	viernes	sábado	domingo
mañana		VISITA FÁBRICA.	LLAMAR ABOGADO.		REUNIÓN	SALIR CAMPO.	
tarde				HACER COMPRA.	DISCOTECA		

2. En parejas.
A. es el/la sospechoso/a
B. es el/la policía

Ayer por la mañana se cometió un robo. B pregunta a A qué hizo ayer por la mañana y apunta las respuestas.
Luego, todos los "policías" cuentan lo que hicieron los "sospechosos".
La clase decide quién es el/la ladrón/a.

B. ¡*Vaya fiesta de cumpleaños!*

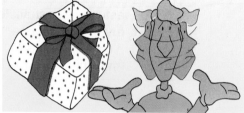

¿Te han regalado algo?
No, no me han regalado nada.

¿Ha venido alguien a tu fiesta?
No, no ha venido nadie.

¿Hay alguna cerveza en la nevera?
No, no hay ninguna.

¿Tienes algún disco de Julio Iglesias?
No, no tengo ninguno.

¡Feliz cumpleaños!

¡*tienes la palabra!*

Para ayudarte:

ALGO —— NADA
ALGUIEN —— NADIE
ALGUNO/A —— NINGUNO/A
ALGÚN + SUSTANTIVO —— NINGÚN + SUSTANTIVO

1.

Pregunta a tu compañero si tiene alguna de estas cosas:

Ejemplo:

A. *¿Tienes alguna falda roja?*

B. { *Sí, tengo tres.*
No, no tengo ninguna.

— disco de Pavarotti
— camisa de cuadros
— amigo en Japón

— planta tropical
— animal en casa

2. En parejas. A pregunta y B responde siempre negativamente:
Ejemplo:

A

— ¿Ha llamado alguien por teléfono?
— ¿Quieres tomar algo?
— ¿Hay alguien en clase?
— ¿Hay algo interesante en la tele?
— ¿Necesitas algo?

B

— *No, no ha llamado nadie.*

C. *Cajón de sastre: pero... ¿qué te pasa?*

Juan: ¿Qué te pasa?, ¿estás enfadada?
Ana: No, estoy cansada, es que hoy he trabajado mucho.

A. ¿Está ocupada esta silla?
B. No, está libre.
.....
A. Mira, la mesa está sucia y el cenicero está lleno de colillas.

¿Cómo está María?

contenta   preocupada   enfadada   nerviosa   tranquila

¡tienes la palabra!

1. En parejas.
A expresa con mímica un estado de ánimo y B intenta adivinarlo, siguiendo el ejemplo anterior.

2. Mira estos dibujos. La maleta está

llena   vacía   sucia   cerrada   limpia   rota

Ahora, di cómo está el armario...

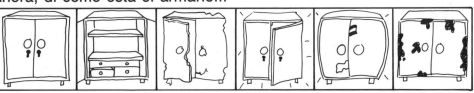

¿Cómo...?

• **INTERESARTE POR EL ESTADO DE ALGUIEN**	¿Qué te pasa?
• **DESCRIBIR ESTADOS DE PERSONAS Y OBJETOS**	Estoy cansada. La maleta está vacía.
• **HABLAR DE HECHOS PASADOS**	A. ¿Qué hiciste anoche? B. Anoche cené con Juan.

Gramática

- **Indefinidos:**

ALGO — NADA   ALGUNO/A
ALGUIEN — NADIE   ALGUNOS/AS   } NINGUNO/A

> **¡cuidado!** ALGÚN
> NINGÚN } + sustantivo masculino singular

¿Tienes muchos discos de Mecano? ¿Me dejas **alguno**?
¿Tienes **algún** disco de Mecano?

- **FORMA NEGATIVA (II):**

> NADIE
> NADA } + verbo   o   NO + verbo + nadie / nada

Nadie viene — No viene nadie
Nada es perfecto — No comes nada

- **USO DE LAS PREPOSICIONES:**

estar EN
ir A
llamar (por teléfono) DESDE
A las tres
llegar A
ENTRE
DESDE... HASTA...

Estuve en la oficina. Luego me fui a casa.
Juan ha llamado desde el aeropuerto.
¿Qué hizo Vd. desde las 7 hasta las 12?

tienes que saber...

• **PRETÉRITO INDEFINIDO:**

ESTAR
estuve
estuviste
estuvo
estuvimos
estuvisteis
estuvieron

IR
fui
fuiste
fue
fuimos
fuisteis
fueron

VER
vi
viste
vio
vimos
visteis
vieron

TENER
tuve
tuviste
tuvo
tuvimos
tuvisteis
tuvieron

HACER
hice
hiciste
hizo
hicimos
hicisteis
hicieron

OÍR
oí
oíste
oyó
oímos
oísteis
oyeron

LÉXICO

amplía tu vocabulario

Tener una:
    comida de negocios
    reunión
    entrevista
    cita
    visita

Estar:
    harto
    deprimido
    enamorado
    de mal humor
    de buen humor
    aburrido

¡OJO! Léxico de Hispanoamérica
        un regalo de cumpleaños = la cuelga (Colom. y Venez.)
        bonito = lindo
        irritado = bravo
        enfadado = enojado
        calendario = almanaque
        ¡pase! ¡entre! = ¡siga!

¡Qué despiste!

1. Ordena los dibujos y cuenta la historia.
Esto es lo que le pasó a Juan Rodríguez ayer.
Ejemplo: *Sonó el despertador...*

1. desayunar

2. no ver a nadie

3.volver a casa

4. acostarse otra vez

5. sonar el despertador

6. mirar el calendario

7. ducharse

8. encender la luz

9. llegar a la oficina

10. despertarse

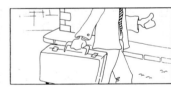

11. irse al trabajo

12. levantarse

2. Escucha y completa:

— Pilar, ¿tienes .... disco de Madonna?
— No, ... ¿Por qué?
— Es que a mí me gusta mucho.
— ¿Sí? Pues a mí no me gusta ....
— ¿Qué tipo de música te gusta?
— La clásica.
— Pero si la música clásica no le gusta a ....
— Sí, mujer. A .... nos gusta.

3. Escribe una carta contando lo que hiciste el último fin de semana.

actividades.

pronunciación.

1. Escucha y repite. Atención a los acentos.

a) yo siempre **lle**vo gafas.
b) Ayer Pedro me lle**vó** en coche.

c) Nunca **lle**go tarde. Soy muy puntual.
d) El martes pasado Pedro lle**gó** tarde.

2. Escucha y escribe los verbos que oigas en la columna correspondiente:

Ejemplo:

	YO SIEMPRE...	AYER PEDRO...	
1	llamo	llamó	(LLAMAR)
2			(ENTRAR)
3			(CENAR)
4			(LLEGAR)
5			(HABLAR)
6			(LLEVAR)

3. En parejas. Leed en voz alta estos diálogos. Las sílabas en negrita se pronunciarán más fuerte.

A
1. Te lla**mé** ayer.
2. Ayer ha**blé** con una amiga.
3. ¿A quién lle**vó** Vd. en coche ayer?
4. ¿Por dónde en**tró** Vd.?
5. ¿Con quién ce**nó** Vd. anoche?

B
¿Cuándo me lla**mas**te?
¿Con quién ha**blas**te?
Yo nunca **lle**vo en coche a nadie.
Yo siempre **en**tro por la puerta.
Yo siempre **ce**no solo.

DESCUBRIENDO

descubriendo...

Te doy una canción (Silvio Rodríguez)
cantautor cubano

Cómo gasto papeles recordándote
cómo me haces hablar en el silencio,
cómo no te me quitas de las ganas
aunque nadie me vea contigo,
y cómo pasa el tiempo que, de pronto,
son años sin pasar por ti, por mí, detenida.

Te doy una canción si abro una puerta
y de la sombra sales tú,
te doy una canción de madrugada
cuando más quiero tu luz.
Te doy una canción **cuando apareces
el misterio del amor,**
y si **no lo apareces,** no me importa;
yo te doy una canción...

silvio
rodríguez
1968/1970
'al final
de este
viaje...'

descubriendo...

Mercedes Sosa
Cantante argentina de honda
raíz folklórica. ¿Quién no
recuerda "GRACIAS A LA VIDA"?

Joan Manuel Serrat
Cantautor catalán, que nos describe
el amor y la vida cotidiana.
Ha compuesto música sobre
poemas de Miguel Hernández y Antonio
Machado. Y siempre acompañado
de "LA GUITARRA"

Julio Iglesias
El más internacional de los cantantes
españoles. Sus canciones se tararean
en todo el mundo. Empezó con "LA VIDA
SIGUE IGUAL" pero llegó a "SOY UN TRUHÁN,
SOY UN SEÑOR"

Mecano
Este grupo español de música pop,
que escribe sus propias canciones,
se pasea por el mundo con su
"NO HAY MARCHA EN NUEVA YORK"

Rocío Jurado
Representante de la canción
"española" canta con fuerza
"COMO UNA OLA"

Los Calchaquis
Grupo de música tradicional hispanoamericana
Descubrimos sus tierras en
"PUEBLOS DEL SUR"

— **¿De cuál de estos cantantes has oído hablar?**
— **¿Quién canta poemas de Miguel Hernández y Antonio Machado?**
— **¿Cuál es el más conocido internacionalmente?**
— **¿Podrías presentar a tus compañeros diversos cantantes de tu país?**

UNIDAD 12

Torre Picasso Madrid
Fotógrafo Brotons.

UNIDAD 12

Título

EL MAÑANA

objetivos Comunicativos

- Hacer predicciones y proyectos
- Expresar decepción
- Hablar por teléfono
- Hacer comparaciones
- Pedir una información

objetivos Gramaticales

- Pronombres posesivos (1.ª, 2.ª y 3.ª pers. sing.)
- Adjetivos demostrativos (II)
- La comparación (I)
- El futuro Imperfecto
- Futuro de hacer, tener, poder, venir, poner

objetivos Culturales

- Acercándonos a Argentina, Bolivia, Chile, Ecuador, Paraguay, Perú y Uruguay

Léxico

- Conversación telefónica

Pronunciación

- La "g" y la "j"

A. ¿Qué pasará?

Adivina:	Joven, aquí veo muchas cosas buenas. Tendrás mucha suerte el próximo año... harás un viaje al extranjero, muy interesante...
El joven:	¿Adónde? ¿A América?
Adivina:	Un momento, no está claro... no, a Lisboa.
El joven:	¡Vaya!, ya he estado allí.
Adivina:	Sigamos... conocerás a una chica.
El joven:	¿Sí? ¿Cómo es?
Adivina:	Alta, rubia, muy moderna, tiene un perro.
El joven:	¡Vaya por Dios!. ¡Es Charo, mi antigua novia!
Adivina:	¡Calla!... te tocará el gordo en la lotería de Navidad.
El joven:	Pero, señora, estamos en febrero y la lotería de Navidad es en diciembre.
Adivina:	Lo siento, joven. No importa, tendrás mucho éxito en tu trabajo.
El joven:	Es bastante difícil..., no tengo trabajo, estoy en el paro.

¡tienes la palabra!

Para ayudarte:

CONOCER	PASAR
conoce**ré**	pasa**ré**
conoce**rás**	pasa**rás**
conoce**rá**	pasa**rá**

¡OJO!
HACER — haré
TENER — tendré

1. En parejas. Ya conoces a tus compañeros. Intenta decir algo sobre su futuro:

(A Pedro le gusta mucho el deporte)   Ej.: *Pedro será un gran deportista.*
Usa estas frases:

Tocar la lotería	Tener hijos
Hacer un viaje	Tener éxito
Casarse	Ser rico
Conocer a una persona interesante	Ser un gran pintor/inventor/atleta.

2. Cuéntale a tu compañero/a qué pasará en los próximos 50 años.
Puedes hablar de las ciudades, las casas, los transportes, la forma de vivir, etc.

En el aeropuerto, recogiendo el equipaje

-- ¿Son esas tus maletas, María?
-- No, las mías son más grandes.
-- Y las de Luis, ¿dónde están?
-- No sé. ¡Ah, mira!, creo que son aquellas.
-- Sí, sí. Las suyas son más pequeñas que las mías y tienen una etiqueta.
-- Juan, ¿has visto las tuyas?
-- Sí, ya las tengo.
-- ¡Qué suerte!

¡tienes la palabra!

Para ayudarte:

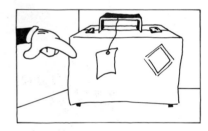

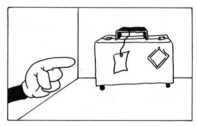

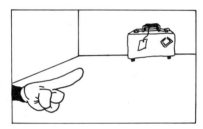

este	ese	aquel
esta	esa	aquella
estos	esos	aquellos
estas	esas	aquellas

más	interesante	que
	pequeño	
	difícil	
	guapo	
	alto	
mayor que...		

¡Recuerda!
delgado/gordo
bajo/alto
joven/mayor

En parejas. Mirad a los personajes y comparadlos.

REYES FEDERICO JULIA ANTONIO

Reyes es más delgada que Federico.
Federico es mayor que Antonio.

	Antonio	Julia	Federico	Reyes
edad	19	53	72	29
altura	1,90	1,58	1,64	1,70
peso	70	75	68	57

C. *Cajón de sastre: suena el teléfono y...*

1.
A: ¿Diga?
B: ¿Está Juan?
A: Sí, un momento. ¿De parte de quién?
B: De Antonio.
A: Ahora se pone.

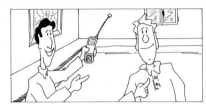

2.
Secretaria: Oficina de Exportación Proca, dígame.
Sr. Pérez: Por favor, ¿el Sr. Director?
Secretaria: Un momento, por favor, no sé si ha llegado...

.....
¿Oiga? No está, ¿quién le llama?
Sr. Pérez: Soy el Sr. Pérez, ¿no sabe cuándo vendrá?
Secretaria: No, no lo sé. ¿Quiere dejar algún recado?
Sr. Pérez: No, gracias, llamaré más tarde.

3.
A. ¿Diga?
B. ¿Está Marisa?
A. No, no. Se ha equivocado.
B. ¿No es el número 250 93 29?
A. No, éste es el 250 93 28
B. Perdone.

¡tienes la palabra!

Para ayudarte:

no sé si	está / ha llegado	
no sé	cuándo / a qué hora	llegará

1.
En parejas.   A: Eres Juan. Haces varias llamadas.
                    B: Eres la persona que responde.

A	B
1. llamas a Sonia	Eres el padre/la madre de Sonia. Ella no está. No sabes cuándo vendrá.
2. llamas a Jorge	Eres el hermano/la hermana de Jorge. Él está en casa.
3. llamas a Arturo	No conoces a ningún Arturo. Dile que se ha equivocado.

2.
Piensa que tienes que llamar a una agencia de viajes para preguntar:
• el horario de salida y llegada de los trenes para Ávila.
• si quedan billetes o no.
• el precio del billete, etc...
¿qué preguntas tienes que hacer?

CONTENIDO COMUNICATIVO

¿Cómo…?

• **HACER PREDICCIONES**	Pedro será un gran pintor
• **EXPRESAR DECEPCIÓN**	¡Vaya! ¡Vaya por Dios!
• **HABLAR POR TELÉFONO**	A. ¿Diga? B. ¿Está Juan? A. ¿De parte de quién?
• **HACER COMPARACIONES**	Valencia es más ruidosa que Soria
• **PEDIR UNA INFORMACIÓN**	¿Ha llegado el tren? ¿Sabe si ha llegado el tren? ¿A qué hora ha llegado el tren? ¿Sabe a qué hora ha llegado el tren?

CONTENIDO LINGÜÍSTICO

Gramática

• **Pronombres posesivos**

MÍO/A	MÍOS/AS
TUYO/A	TUYOS/AS
SUYO/A	SUYOS/AS

mi maleta...............la mía
mis maletas............las mías
tu billete...............el tuyo
tus billetes............los tuyos
Mis maletas son más grandes que las suyas.

• **Demostrativos**

cerca	lejos	
	– lejos	+ lejos
ESTE	ESE	AQUEL
ESTA	ESA	AQUELLA
ESTOS	ESOS	AQUELLOS
ESTAS	ESAS	AQUELLAS

• **La Comparación**

más
menos { + adjetivo + que...
¡OJO! **mayor** que...

• **Futuro Imperfecto**

-é
-ás
infinitivo + -á
-emos
-éis
-án

• **Futuros Irregulares**

HACER	TENER	PODER	VENIR	PONER
haré	tendré	podré	vendré	pondré
harás	tendrás	podrás	vendrás	pondrás
hará	tendrá	podrá	vendrá	pondrá
haremos	tendremos	podremos	vendremos	pondremos
haréis	tendréis	podréis	vendréis	pondréis
harán	tendrán	podrán	vendrán	pondrán

LÉXICO

amplía tu vocabulario

coger el teléfono   una conferencia
ponerse al teléfono   tener suerte = tener buena suerte
colgar el teléfono   tener mala suerte
comunicar   el porvenir
dejar un recado   el futuro

El ''GORDO'' es el primer premio de la Lotería de Navidad

¡OJO! Léxico de Hispanoamérica

ponerse al teléfono = atender
una conferencia = una llamada a larga distancia
el teléfono comunica = el teléfono está ocupado
el paro = la desocupación

ienes que saber...

1. Escucha este cuento tradicional español.

Ahora enumera por orden los proyectos de la lechera:

A) *La lechera venderá la leche*   E)

B)   F)

C)   G)

D)   H)

¿Hay alguna historia parecida en tu país?

2. El Sr. Fernández llama por teléfono al Dr. Campos a su trabajo del Hospital Clínico. El Dr. Campos no está y por eso habla con la telefonista. Escribe un diálogo con estos datos.

3. Compara plazas o calles de tu ciudad.
La Plaza de Cataluña es más grande que la Plaza del Rey.

Plaza de Cataluña.

Plaza del Rey.

BARCELONA

Utiliza estos adjetivos:
   tranquilo/ruidoso
   antiguo/moderno
   cómodo/incómodo
   sucio/limpio
   largo/corto
   ancho/estrecho

4. En parejas.

A y B compiten hablando de las cosas que tienen, como en el ejemplo:

casa/cómoda ► A. *Mi casa es muy cómoda*   B. *La mía es más cómoda que la tuya*

A. trabajo/interesante   B.

A. moto/moderna   B.

A. padres/jóvenes   B.

A. coche/rápido   B.

A. amigo/guapo   B.

a ctividades.

5. ■ **Y hablemos del futuro.**

¿Qué harás si te tocan 100 millones?		
	Hombres	Mujeres
Dejaré de trabajar	16,6	6,5
Cambiaré de casa	6,6	12,5
Dejaré todo seis meses	6,2	4,2
Montaré un negocio	19,3	13,5
Repartiré la mitad	35,1	50,2
Disimularé	8,7	5,9
NS/NC	9,1	8,6

¿Crees que teniendo más dinero serás más feliz que ahora?		
	Hombres	Mujeres
Sí	36,5	26,8
No	56,4	67,9
NS/NC	7,1	5,3

¿Qué escoges entre aplauso, poder y dinero?		
	Hombres	Mujeres
Aplauso	28,4	27,6
Poder	13,7	13,3
Dinero	39,2	36,9
NS/NC	18,7	22,4

¿Qué prefieres como profesión de tu pareja? (Hombres)	
Médica/Abogada	26,8
Política	1,7
Directivo de Empresa	6,4
Astronauta	2,3
Prof. no relevante	5,0
Ama de casa	32,2
Actriz/Escritora	3,9
Presidente del Gobierno	1,2
Otra	10,4
NS/NC	10,2

(Mujeres)	
Médico/Abogado	38,2
Astronauta	0,8
Político	0,6
Director de Empresa	10,8
Banquero	5,5
Deportista	4,8
Presidente del Gobierno	1,5
Escritor/Actor	8,0
Otra	16,0
NS/NC	13,9

-- Según estos datos, ¿puedes señalar las diferencias de carácter entre hombres y mujeres?
-- ¿Por qué no hacéis una encuesta parecida en vuestra clase? ¡Habrá muchas sorpresas!

Según la Vanguardia 3-10-89 Barcelona

a ctividades.

— ¿Me dice su nombre, por favor?
— Luis Jiménez.
— ¿Con **GE** o con **JOTA**?
— Con **JOTA**.

Una jarra sin buen vino,
un geranio sin color,
una gitana sin flores,
una jota sin cantor,
un juguete sin un niño,
no son nada...¡no señor!

D E S C U B R I E N D O

Adiós a mi Huaycho
Adiós, pueblo de mi Huaycho,
Pueblo donde yo he nacido.
Adiós, casita querida.
Ya me voy, ya me estoy yendo.
¡Ay, mi palomita!
Ya me voy, ya me estoy yendo.

Hasta mi zampoña llora,
Siento un caño vacío,
Cómo no he de llorar yo,
Si me quitan lo que es mío.
!Ay, mi palomita!
Ya me voy, ya me estoy yendo.

(canción popular boliviana)

Una ''zampoña'' es una flauta típica del país.   Potosí (Bolivia)

¿Qué sentimientos expresa esta canción?
¿Con qué expresiones se manifiestan estos sentimientos?

Otros países hispanoamericanos y sus capitales

PAÍS	SUPERFICIE	POBLACIÓN	MONEDA
Argentina	2.766.889	30.977.000	austral
Bolivia	1.098.581	6.557.000	boliviano
Chile	756.945	12.253.000	peso
Ecuador	283.561	9.648.000	sucre
Paraguay	406.752	3.804.000	guaraní
Perú	1.285.216	19.031.000	inti
Uruguay	176.215	3.035.000	peso

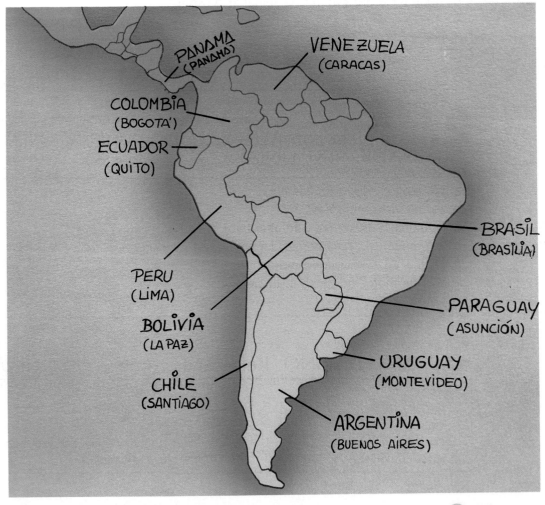

TEST 4

Repaso unidades 10, 11 y 12

1. Pon los verbos en la forma adecuada.

Ejemplo: (PERDER) el avión. (LLEGAR) mañana. **"Hemos perdido... llegaremos..."**

a. Este verano (ESTAR) en Marruecos. (IR) con unos amigos. Me lo pasé muy bien.
b. Lo siento. El señor González no está, (SALIR). (VOLVER) dentro de una hora.
c. ¡Hola, Juan! ¿Por qué (LLEGAR) tarde? ¿No (OÍR) el despertador?
d. ¿Qué (HACER) este fin de semana? (vosotros)
   El sábado (ESTAR) en el zoológico con los niños. Nos lo pasamos muy bien.
e. (ESCRIBIR) ya las postales?
   Todavía no. Las (ESCRIBIR) esta tarde.

2. Completa con ALGO/ALGUIEN(A)/ALGÚN(A)/NADA/NADIE/NINGÚN(A)

a. No tengo... disco de flamenco.
b. ¿... ha visto mis gafas?
c. ¿Quieren Vds. tomar... de aperitivo?
d. No tenemos... para comer. La nevera está vacía.
e. ¿Tiene Vd.... revista de motos?
   No, de motos no tengo..., lo siento.

3. AL TELÉFONO. Relaciona, como en el ejemplo:

a. ¡Diga!	Gracias.
b. ¿Es el 4192208?	Hola, ¿está Manolo?
c. Ahora se pone	No lo sé.
d. **¿Está Jaume?**	No. Se ha equivocado de número.
e. ¿Cuándo volverá?	**No. Ha salido.**

4. Completa con SER/ESTAR en la forma adecuada

a. Mi hermano_____muy alto.

b. _____preocupado. Mi hijo no ha vuelto y ya_____muy tarde.

c. La botella_____vacía.

d. Esta camisa_____bonita pero_____sucia.

5. Usa palabras de las tres columnas para formar 5 frases.

Ejemplo: ¿**TE HAS CORTADO** con un **CUCHILLO**?

ME TE LE JUAN	ROMPER DOLER CAERSE CORTARSE TENER	FIEBRE ESTOMAGO BICICLETA CUCHILLO BRAZO

6. Mira el dibujo y di quién viene de cada lugar.

Usa los demostrativos adecuados y las palabras "señor(a), chico/a, niño/a"

Ejemplo: **"Aquellos niños vienen de la playa" (d)**

a. _____de la agencia de viajes.

b. _____de la piscina.

c. _____de una tienda de ropa.

d. _____ de la playa.

e. _____ de una reunión de negocios.

f. _____del parque.

7. Completa con los posesivos adecuados

Ejemplo: ... Vuestro perro se ha comido mis flores. Tenéis que pagarme los gastos.

a. A. ¡Qué reloj más bonito llevas! ¿Es_____?

   B. No, no es_____ Es de _____padre pero lo llevo siempre yo.

b. A. Esta es una foto de Eva y_____ novio en la playa.

   B. ¿La tabla de windsurf es_____?

   A. No, es_____ La compré antes del verano.

c. A. ¡Oiga, señor! ¿Estas maletas son_____?

   B. Sí, son_____ ¿Por qué lo pregunta?

d.   Todos los hermanos queremos mucho a_____padres.

UNIDAD 13

Philos. et istoria aturalis

Philo-sophia Vetus.

UNIDAD 13

Título

ANTES ...Y AHORA

Objetivos Comunicativos

- Hablar de acciones habituales en el pasado
- Describir en pasado
- Expresar alegría, sorpresa, alivio, fastidio/aburrimiento, tristeza/compasión

Objetivos Gramaticales

- Forma negativa (III) (nunca)
- Diferentes construcciones del verbo QUEDAR
- El Pretérito imperfecto
- Pretérito Imperfecto de jugar, tener y decir
- Pretérito Imperfecto irregular: ir, ser

Objetivos Culturales

- Acercándonos a México, D.F.

Léxico

- Accidentes geográficos

Pronunciación

- /b/ /v/

Objetivos.

A. *Cuando yo era pequeño*

Cuando era pequeño vivía en un pueblo del norte.
Era un pueblo muy bonito, rodeado de montañas,
cerca pasaba un río.
Era una vida muy tranquila. En invierno iba todos los
días a la escuela. Los domingos quedaba con unos
amigos para ir a dar un paseo. En verano, nos bañá-
bamos y pescábamos en el río; por la tarde había
baile en la plaza del pueblo.
Ahora queda poca gente, los jóvenes se han marcha-
do a la ciudad a trabajar. En verano, algunos vuelven
para disfrutar de la tranquilidad del campo y del
paisaje.

¡tienes la palabra!

Para ayudarte:

PASAR	COMER	VIVIR
pas**aba**	com**ía**	viv**ía**
pas**abas**	com**ías**	viv**ías**
pas**aba**	com**ía**	viv**ía**
pas**ábamos**	com**íamos**	viv**íamos**
pas**abais**	com**íais**	viv**íais**
pas**aban**	com**ían**	viv**ían**

Ahora, **queda** poca gente
quedan pocos jóvenes

1. En parejas. Compara con tu compañero:
A. *(Cuando era pequeño) jugaba en la calle, ¿y tú?*
B. *Yo, en casa*
   Utiliza: En vacaciones/ir a la playa
   Los domingos/ir a la montaña
   comer con los abuelos/ir a la iglesia/salir con los amigos/...
   visitar las ferias/exposiciones/lavar el coche...

2. Compara cómo era antes tu ciudad y cómo es ahora.
■ Ejemplo: *Antes había pocos coches, ahora hay muchos.*

Habla de la contaminación,
el precio de los transportes,
del cine, las libertades, la
moda...

En la consulta del médico

médico: Vamos a ver, ¿fuma usted mucho?

paciente: No, una cajetilla al día.

médico: Es bastante, tiene que fumar menos, ¿eh? ¿Hace ejercicio?, ¿anda usted?

paciente: Bueno, la verdad, no, nunca. Siempre voy en coche.

médico: Sigamos, ¿duerme usted bien?

paciente: Regular. Salgo mucho de noche y no duermo demasiado.

médico: Pues tiene que hacer ejercicio todos los días: pasear o hacer media hora de gimnasia en casa.

paciente: ¡Uf! es que nunca tengo tiempo. Trabajo doce horas al día.

médico: Y la alimentación, ¿qué tal? ¿Come verduras a menudo?

paciente: A menudo no, a veces.

¡tienes la palabra!

Para ayudarte:

siempre todos los días	a menudo mucho	a veces	nunca

muchas veces = mucho
algunas veces
pocas veces
una vez ⎰ al día
⎱ a la semana

1. Relaciona:

1. ¿Come dulces a menudo?

2. ¿Sale mucho a cenar fuera?

3. ¿Le han operado alguna vez?

4. ¿Come en casa todos los días?

5. ¿Hace deporte?

6. ¿Come pan en las comidas?

A. Sí, dos veces. Una vez de apendicitis y otra vez de anginas.

B. Bueno, nado a veces.

C. Sí, muchas veces. Sobre todo, los sábados.

D. Sí, en todas las comidas, pero pan integral.

E. No, nunca. No quiero engordar.

F. Sí, siempre. Vivo cerca de la oficina.

2. En parejas.

A dice cosas que hace una vez al día, tres veces a la semana, a menudo, nunca, etc.

A. ***No** voy **nunca** a la discoteca*

B contesta diciendo cuántas veces hace él las mismas cosas.

B. *Yo voy algunas veces.*

C. *Cajón de sastre: reacciones*

— Se ha muerto mi
 perro.
— ¡Qué pena!

— He perdido 50.000 ptas.
 en el casino.
— ¡Qué mala suerte!

— Juan está escalando
 en el Everest.
— ¡No me digas!

— Tengo que estudiar
 este verano.
— ¡Qué rollo!

— Me ha tocado un viaje
 en un concurso.
— ¡Qué suerte!

— ¡He perdido la cartera!
— No, está aquí.
— ¡Menos mal!

¡*tienes la palabra!*

1. ¡Reacciona! Utiliza una expresión (ver C) para contestar estas frases.

— María ha tenido trillizos.
— Me han robado el cassette del coche.
— He perdido el tren.
— A Julián le ha tocado una quiniela.
— ¡Otra vez sopa para cenar!
— El domingo próximo viene mi novio.

2. En grupo: A dice algo (como en los ejemplos anteriores) y los compañeros reaccionan.

A: Me he roto una pierna ...¡*Qué mala suerte!*

¿**C**ómo...?

• **HABLAR DE ACCIONES HABITUALES EN EL PASADO**	Iba todos los días a la escuela.
• **DESCRIBIR EN PASADO**	Mi ciudad era muy bonita.
• **EXPRESAR:**	
ALEGRÍA	¡Qué bien! ¡Qué suerte!
SORPRESA	¡No me digas!
ALIVIO	¡Menos mal!
FASTIDIO/ABURRIMIENTO	¡Qué rollo!
TRISTEZA/COMPASIÓN	¡Qué pena!
	¡Qué mala suerte!
• **EXPRESAR LA FRECUENCIA**	A veces voy al parque.

Gramática

• **Forma negativa con *Nunca*:** nunca + verbo afirmativo

                                : no + verbo + nunca

Nunca tengo tiempo
No tengo tiempo **nunca**

• **Verbo QUEDAR:**

1 Queda solamente **un ejercicio**
   Qued**an dos lecciones** para acabar el libro

Recuerda:

2 Esta falda me qued**a** bien
   Estos pantalones te qued**an** bien

3 ¿qued**amos** el sábado?

• Pretérito Imperfecto

-AR	-ER -IR
-aba	-ía
-abas	-ías
-aba	-ía
-ábamos	-íamos
-abais	-íais
-aban	-ían

JUGAR	TENER	DECIR
jugaba	tenía	decía
jugabas	tenías	decías
jugaba	tenía	decía
jugábamos	teníamos	decíamos
jugabais	teníais	decíais
jugaban	tenían	decían

• Pretéritos Imperfectos irregulares

IR	SER
iba	era
ibas	eras
iba	era
íbamos	éramos
ibais	erais
iban	eran

LÉXICO

amplía tu vocabulario

el río	quedar
el mar	a menudo
la montaña	a veces
la sierra	alguna vez
el lago	otra vez
el campo	pocas veces
el paisaje	siempre
la isla	casi siempre
el bosque	jamás

¡OJO! Léxico de Hispanoamérica
vivienda en el campo = rancho
espacio llano y vacío = playa
coche = carro
carné de conducir = pase
¡vale! = ¡conforme!

Tienes que saber...

Encuesta

1. Estamos realizando una encuesta para conocer mejor los hábitos de los ciudadanos. Por favor, conteste a las siguientes preguntas. No escriba su nombre en la hoja.

1) ¿Con qué frecuencia come fuera de casa (bares, restaurantes, etc)?

2) ¿Con qué frecuencia compra libros de lectura (novela, poesía, etc)?

3) ¿Con qué frecuencia compra revistas?

4) ¿Con qué frecuencia va al médico?

5 ¿Con qué frecuencia compra discos, cassettes (música pop, clásica, etc)?

6) ¿Con qué frecuencia hace deporte?

7) ¿Con qué frecuencia compra ropa (abrigos, pantalones, etc)?

8) ¿Con qué frecuencia viaja al extranjero?

9) ¿Con qué frecuencia visita a sus familiares (tíos, primos, etc.)?

10) ¿Con qué frecuencia ve la televisión?

	¿Con qué frecuencia?									
	1	2	3	4	5	6	7	8	9	10
siempre/todos los días										
a menudo										
a veces										
una vez al mes										
casi nunca										
nunca										

actividades.

2. Lee el texto y contesta.

Milagros Redondo nos habla sobre sí misma:

"Hace unos años trabajaba muchísimo. Me pasaba diez horas en la oficina. Como no tenía tiempo para comer me tomaba un sandwich y tres o cuatro cafés al día. A veces iba a un bar a tomar una cerveza y una hamburguesa. Estaba siempre fumando y no hacía ningún ejercicio. Me sentía cansada y mal, hasta que un día tuve un infarto y cambié de vida.

Ahora trabajo menos. Como carne, fruta y verdura todos los días. Nunca tomo alcohol y voy al gimnasio los lunes, miércoles y viernes. Mi vida ha cambiado y me encuentro estupendamente".

1) ¿Cuántas horas pasaba Milagros en la oficina?
2) ¿Qué comía antes?
3) ¿Cómo se sentía?
4) ¿Qué le pasó?
5) ¿Qué come ahora?
6) ¿Hace ejercicio? ¿Cuántas veces a la semana?
7) ¿Cómo se siente?

3. Mira esta escena de la Edad Media. Hay varios errores. Descríbelos como en el ejemplo: *En la Edad Media la gente NO USABA paraguas.*

actividades.

Escucha las siguientes palabras y observa que en español no hay diferencia en la pronunciación de b y v:

bonito	pueblo
vamos	avión
escribe	barato
vivo	hombre
vaso	vacaciones

Ahora escucha y trata de completar con b o v

-io	-aile
-iuda	-ino
pue-lo	-erano
-ueno	-e-er
jo-en	-acaciones
a-uelo	-i-ir

DESCUBRIENDO

La ciudad de México

Al parecer, la Ciudad de México fue fundada por los aztecas hacia el año 1176, con el nombre de Tenochtitlán, sobre una isla del lago Texcoco, convirtiéndose en la capital del imperio azteca. De 1517 a 1521 fue asediada y destruida por los españoles al mando de Hernán Cortés. Los conquistadores fueron desecando el lago gradualmente y construyendo una nueva ciudad, que sería capital del virreinato de Nueva España. Al separarse México de la corona española y constituirse en República, en 1824, la Ciudad de México es elegida para ser la capital del Estado.

Su condición de capital desde tiempos inmemoriales ha hecho de México el lugar de residencia de millones de mexicanos que han emigrado en busca de trabajo, educación o, simplemente, mejores oportunidades, hasta convertirla en una enorme urbe de más de 20 millones de habitantes, la mayor zona urbana de habla hispana, en un país de 80 millones de habitantes, también el país hispanohablante más habitado. La acumulación de industrias de todo tipo (textil, de papel, vidrio, orfebrería, metal, tabaco, siderurgia, etc.) y el denso tráfico de vehículos por sus calles (a pesar de contar con un moderno metro subterráneo) han contribuido a contaminar el aire hasta tal punto que los colegios dan vacaciones especiales en febrero, mes en el que la contaminación es más acusada.

Por otro lado, en México se encuentran monumentos y museos de gran interés para el estudio de las civilizaciones prehispánicas.

Miles de mexicanos, parejas de novios y familias enteras, van los domingos a Xochimilco a pasar el día. Situada a 24 km. del centro de México DF, esta red de canales, bordeada por jardines llenos de flores, da cabida a innumerables barcas o

"trajineras", decoradas con colores llamativos. Antiguamente estas barcas iban adornadas con flores naturales. A la vez que uno pasea por los canales, abarrotados de trajineras, puede alquilar una banda de mariachis para que amenicen el paseo, comprar plantas, comer unos tacos o unas mazorcas de maíz caliente. Todo ocurre sobre el agua en Xochimilco.

Parque de Chapultepec

Otro lugar preferido por los mexicanos para pasear, descansar y divertirse es el parque de Chapultepec. Innumerables niños pasean al lado de sus padres, con globos en una mano y alguna golosina en la otra. Se paran delante de cada vendedor ambulante con ojos grandes, mirando con avidez los puestos de frutas, de juguetes y recuerdos. Sombreros, máscaras, marionetas, cualquier chuchería es capaz de hacer feliz a un niño.

Para los más interesados en la cultura también hay atractivos en Chapultepec. El Museo Nacional de Antropología recoge las piezas más impresionantes del arte precolombino. Mayas, toltecas, mixtecas, aztecas y un largo etcétera de civilizaciones se reúnen en este incomparable museo, el más importante del mundo en su género.

UNIDAD 14

METRO

METRO
ENTRADA

OPERA

BANCO
CENTRAL

 BC oficina mas proxima
MAYOR, 9

Metro Opera Madrid
Fotografía: Comunidad Autónoma de Madrid

UNIDAD 14

Título

Objetivos Comunicativos

Objetivos Gramaticales

Objetivos Culturales

Pronunciación

Léxico

INSTRUCCIONES

- Expresar la obligación en forma impersonal
- Expresar la obligación en forma personal
- Expresar posibilidad
- Expresar prohibición
- Negar (con énfasis)
- Expresar que no se da importancia a algo
- Expresar la ausencia de obligación

- Pronombres personales (Objeto Indirecto)
- Las oraciones condicionales
- Hay que + Infinitivo
- Utilización de ''se''
- Comparaciones (II)

- La lengua española en el mundo

- La ''r'' y la ''rr''

- Deportes e instalaciones deportivas

bjetivos.

A. *Quiero matricularme*

Mary:	Buenos días, quiero matricularme.
Secretaria:	¿En qué idioma?
Mary:	En español.
Secretaria:	Toma un sobre. Tienes que rellenarlo con tus datos, luego tienes que pagar en el banco y volver aquí.
Mary:	¿Se puede pagar aquí, en la Secretaría?
Secretaria:	No, no se puede.
...	
Andrea:	Yo también quiero matricularme en español.
Secretaria:	Pero tú hablas muy bien. ¿De qué nacionalidad eres?
Andrea:	Soy española. Es que mis padres han vivido mucho tiempo en el extranjero y no sé escribir bien en español.
Secretaria:	Lo siento. Para matricularse en español hay que ser extranjero.
Andrea:	¡Vaya!, ¡qué pena!

¡tienes la palabra!

Para ayudarte:

> Para matricularse HAY QUE ser extranjero
> No SE PUEDE pagar aquí
> Tú TIENES QUE pagar en el banco

1.

a) Da sugerencias para estas situaciones:
  — Un amigo quiere visitar tu ciudad/región:
    Ejemplo:
    Tienes que ver...
    Tienes que bañarte en...
  — Un amigo quiere aprender un idioma extranjero.
  — Un amigo quiere viajar a Nepal.

b) ¿Qué hay que hacer en estas situaciones?
  — Para estar sano...
    Ejemplo:
    Hay que practicar algún deporte
  — Para divertirse...
  — Para hacerse rico...
  — Para tener más amigos...

2.

En grupos de 3 ó 4: un alumno piensa en uno de los siguientes lugares y dice qué se puede y qué no se puede hacer en él. Los compañeros deben adivinar de qué lugar se trata:

— el hospital   — la biblioteca   — el cine
— el museo   — la playa

B. *Miguel y Charo salen a cenar*

1.

Miguel:	¿Salimos esta noche?
Charo:	Depende. No quiero volver tarde. Mañana tengo que levantarme temprano.
Miguel:	De acuerdo, volveremos pronto. Vamos a cenar al "Asador Vasco", ¿vale?
Charo:	Si vamos al "Asador Vasco", llama por teléfono para reservar mesa.
Miguel:	¡Bah!,¡da igual!,no hace falta. Hoy es lunes y no hay mucha gente.

2.

Ch.:	¿Vas a aparcar aquí?
Mi.:	Pues sí, ¿por qué no?
Ch.:	Está prohibido. Si aparcas aquí te ponen una multa.
Mi.:	¡Qué va!, aquí aparca todo el mundo.

3.

Ch.:	¿No te llevas el radiocasete?
Mi.:	No, ¿por qué?
Ch.:	Si dejas el radiocasete en el coche te lo robarán.
Mi.:	Yo siempre lo dejo y nunca me lo han robado.

¡tienes la palabra!

Para ayudarte:

Si vamos al restaurante, LLAMA por teléfono
Si aparcas te PONEN una multa
Si dejas el radiocasete te lo ROBARÁN

1. En parejas.
A lee en voz alta una frase de la columna de la izquierda.
B la completa, leyendo la frase más apropiada de la columna de la derecha.

Si aparcas aquí	te hago un bocadillo
Si te duele la cabeza	te ponen una multa
Si no tienes dinero	nos metemos en una cafetería
Si llama Juan	vete a casa
Si empieza a llover	puedo prestarte 5.000 pesetas
Si no viene pronto el autobús	dile que no estoy en casa
Si tienes hambre	cogeremos un taxi

2. ■ Por separado.

A y B piensan en cosas que quieren pedir el uno al otro. Luego completan este diálogo.

A

¿Puedes ayudarme a ....?

Te presto mi ....si me dejas
(usar) tu ....

Te invito a ....si vienes
conmigo a ....
.... si ....

B

Te ayudaré a ....si me prestas
tu ....

Te dejo (usar) mi ....si me
invitas a ....

Iré contigo a ....si ....

Bueno/de acuerdo/vale

3. ■ En parejas.

A hace una pregunta tomando una palabra de cada caja.
B responde utilizando me/te/le/se/lo(s)/la(s)

Ejemplo: A: *¿Le has dado la foto?*   B: *Sí, se la he dado*
          A: *¿Me das los libros?*   B: *Sí, te los doy*

	A				B		
¿	me / te / le	DAR	el libro / la foto / los libros / las fotos	?	Sí, / No,	te / me / se	lo / la / los / las	DAR

C. *Cajón de sastre: ¡Contamos contigo!*

— Me voy a jugar al tenis.
— ¿Tienes que reservar pista?
— No, no hace falta. Siempre hay algu-
na libre.

— ¿Vas a hacer windsurf hoy?
— Sí. Hace mucho viento

— ¿Sabes esquiar?
— No, es la primera vez. Tengo mucho miedo.

— ¡Chica, estás en forma!
— Bueno, es que hago gimnasia todos los días.

Coral Bistuer Ruiz es deportista. Es una de las figuras más importantes del Tae-Kwondo en el mundo. Nació en Madrid, en el barrio de Chamberí, en 1964. Mide 1,76 y pesa 65 kilos. Ha ganado muchos trofeos y medallas en competiciones nacionales e internacionales.

¡tienes la palabra!

1.
Haz frases según el ejemplo:

Para jugar al fútbol necesitas botas y balón.
Para ....
esquiar, jugar al tenis, hacer footing, hacer windsurf, hacer Tae-kwondo, jugar al fútbol.

¿**C**ómo...?

• **EXPRESAR OBLIGACIÓN EN FORMA IMPERSONAL**	**Hay que** mirar antes de cruzar
• **EXPRESAR OBLIGACIÓN EN FORMA PERSONAL**	**Tienes que** llevarme al cine
• **EXPRESAR POSIBILIDAD/PROHIBICIÓN**	**Se puede** decir **No se puede** decir
• **NEGAR (con énfasis)**	¡Qué va!
• **EXPRESAR QUE NO DAMOS IMPORTANCIA A ALGO**	¡Bah! ¡da igual!
• **AUSENCIA DE OBLIGACIÓN, DE NECESIDAD**	No hace falta

CONTENIDO LINGÜÍSTICO

Gramática

• **Pronombres personales:**   Complemento Indirecto + Directo

— ¿Me das el número de teléfono?
— Sí, **te lo** doy

— Enhorabuena, te han dado la beca
— ¡Ah! ¿**me la** han dado?

— ¿Le has prestado las revistas a Juan?
— Sí, **se las** he prestado

> me
> te
> le (se + lo/la/los/las)

SE + puede + verbo en infinitivo

Utilizamos SE para indicar que no hay sujeto personal.

SE = tú, yo, la gente ....¿Se puede hacer?

• **HAY QUE + verbo en Infinitivo**
    Es una forma invariable que significa "es necesario".

Formas diferentes de expresar la condición.
si + Presente de Indicativo, verbo en Presente ....
Si tienes tiempo, **vamos** esta tarde al cine
si + Presente de Indicativo, verbo en Futuro ....
Si tienes tiempo, **iremos** esta tarde al cine
si + Presente de Indicativo, verbo en Imperativo ....
Si tienes tiempo, **ven** al cine conmigo

Comparaciones: (II)
bueno (+) ⟶ mejor (+ +)
malo (—) ⟶ peor (— —)
Esta moto es **peor** que aquella.
Juan canta **mejor** que yo.

LÉXICO

amplía tu vocabulario

Hacer	**Jugar al**	el polideportivo	esquiar
deporte	tenis	el estadio	nadar
ejercicio	fútbol	la cancha	montar a caballo
gimnasia (rítmica)	baloncesto	los "hinchas"	
footing	golf	el descanso	
windsurf	balonmano		
Tae-kwondo			
vela			
esquí (acuático)			
judo			
atletismo			

¡OJO! Léxico de Hispanoamérica
conducir (un coche) = manejar
matricularse = anotarse
el radiocassette = el radiograbador
los hinchas = la fanaticada
el descanso (partido) = la tregua
el partido (deporte) = el certamen

1.
Lee y contesta las preguntas

Julia: ¿Qué vas a hacer este verano, Luis?
Luis: Voy a comprarme un barco de vela. Quiero cruzar el Atlántico yo solo.
Julia: Pero, ¿tú sabes navegar?
Luis: Sí, un poco. He leído un libro sobre navegación.
Julia: Pero eso no es suficiente. Si quieres aprender tienes que practicar mucho. Además, los barcos son muy caros. Hay que tener mucho dinero y tú no lo tienes.
Luis: Ah, pero lo tendré, porque voy a trabajar de fotógrafo.
Julia: ¿Para un periódico?
Luis: No lo sé todavía. Voy a hacer muchas fotos y luego se las vendo a algún periódico o alguna revista si les gustan.
Julia: ¡Pues tendrás que hacer muchas fotos para comprarte un barco, amigo!
Luis: Uy, las haré. Además voy a vender mi coche.
Julia: ¿Lo vas a vender? ¿Y a quién se lo vas a vender? Se cae de viejo. Si quieres venderlo tienes que repararlo.
Luis: Bueno, no está muy bien, pero puedo repararlo yo. Entiendo un poco de mecánica y si lo arreglo yo es más barato.
Julia: ¿Vas a arreglarlo tú? ¡Estás loco!, Luis.

1) ¿Qué hay que hacer para aprender a navegar?
2) ¿Luis sabe navegar?
3) ¿Qué va a hacer Luis para conseguir dinero?
4) ¿Será fácil conseguirlo?
5) ¿Qué tiene que hacer Luis para vender su coche?
6) ¿Qué opina Julia de Luis?
7) Busca en el texto los **pronombres** LO, LA, LOS, LAS, SE. ¿A qué palabras se refieren?

2.

Escucha la siguiente entrevista con Coral Bistuer. Contesta a las preguntas:

1) ¿En qué años ganó Coral los dos campeonatos del mundo de Tae-kwondo?
2) ¿Qué países son los mejores en Tae-kwondo?
3) ¿A qué edad empezó Coral a practicar este deporte?
4) Antes de algún campeonato importante, ¿qué come?, ¿cuántas horas entrena?
5) ¿Cómo eran sus fines de semana cuando era un poco más joven?
6) ¿Qué hace aparte de dedicarse al Tae-kwondo?

3.

En parejas. A hace una entrevista a B que es un deportista famoso.

Ej.: *Esta tarde tenemos aquí con nosotros a* ....

Director, compañero, camarero, trabajo, padre, pronto, barrio, marrón, restaurante, rubio.

Ahora escucha y completa con ''r'' o ''rr''.

g-acias	cuat-o
p-ofeso-	seño-a
núme-o	ce-ado
co-e-	-ojo
-epeti-	pe-o
pe-o	ho-a

DESCUBRIENDO

... y hablando en español...,

Me queda la palabra

Si he perdido la voz
si he sufrido la sed
si he segado las sombras
si mis labios abrí
si me los desgarré
si he perdido la vida
si he perdido la voz
si he sufrido la sed
si he segado las sombras
y los labios abrí
me queda la palabra
    poema de Blas de Otero adaptado por el grupo Aguaviva

''... No es difícil escribir en español, ese regalo de los dioses del que los españoles no tenemos sino muy vaga noticia...''

(Del discurso de Camilo José Cela en la entrega del Premio Nobel de literatura en 1989).

''Con su lucidez y su indomable energía, Isabel la Católica quiso que el habla de Castilla, ya consolidada, se convirtiese en el idioma de los vastos territorios que soñaba''.

(Ernesto Sábato, escritor argentino. Del discurso pronunciado al recibir el Premio Cervantes, en 1985).

Algunas veces he recordado cuáles han sido, a lo largo de mi vida, mis máximas emociones de hispanohablante, los momentos en que mi sensibilidad, ante el hecho de hablar castellano, ha sido más recia y hondamente conmovida. (...)

Fue hace casi cuatro años, en una playa de Chile, al sur de Concepción.

Unos amigos me habían llevado hasta allí. Entre los Andes y el Pacífico, sólo el rumor de las olas que venían a morir sobre la arena. Todos callamos... y en aquel momento, nunca sabré ni de dónde ni de quién, surgió una voz que decía en nítido castellano: ''¡OYE!''.

''Mi idioma llegaba entonces a mi oído como si fuese, sobre la faz entera del planeta, el único testimonio de la condición humana''.

(Pedro Laín Entralgo
Gozo y preocupación del castellano
El País, 24 de noviembre de 1986)

UNIDAD 15

Juan Carlos I Rey de España
firma del protocolo de adhesión a la C.E.E.

UNIDAD 15

Título

objetivos Comunicativos

objetivos Gramaticales

objetivos Culturales

Pronunciación

Léxico

ACONTECIMIENTOS

- Expresar acciones durativas interrrumpidas por otra acción
- Narrar hechos
- Contar la vida de una persona
- Hacer comparaciones

- Estructuras comparativas
- Pretérito Indefinido de leer, morir y nacer

- Acontecimientos históricos a partir de 1939
- Goya: Fusilamientos de la Moncloa
- Picasso: El Guernica
- Colón y los Reyes Católicos
- Los Reyes de España

- Pronunciación fuerte y relajada de "b/d/g"

- Sucesos y acontecimientos

A. *¿Qué pasó?*

El sábado por la noche en el barrio sevillano de Triana, cuando Juan García y su mujer Teresa Rodríguez estaban viendo la televisión en el salón de su casa, un ladrón entró por una ventana. En aquel momento, había en la televisión un concierto de música rock. La televisión estaba muy alta. De pronto, terminó el concierto, se paró la música y Teresa oyó un ruido, se levantó y fue a su dormitorio; cuando llegó y abrió la puerta, vio al ladrón que estaba saliendo por la ventana. Miró en el cajón de la mesita de noche y vio que no estaba el dinero que guardaba allí. Ayer domingo, la policía detuvo al ladrón cuando intentaba entrar en una casa próxima.

¡tienes la palabra!

| Para ayudarte: |

Cuando	estaban viendo la tele,...
	estábamos comiendo,...
	estaba leyendo,...
	.....
	iba a casa de María,...
	estaba en casa,...
	era pequeño,...

1. ■ Mira los dibujos y cuenta qué pasó.

Cuando estábamos merendando, llegaron los Martínez

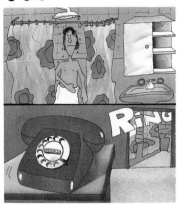

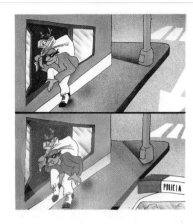

B. *¡De viaje!*

Fred y Simone se encuentran. No se han visto desde el año pasado.

F: Bueno, Simone, ¿qué has hecho?, ¿dónde has estado?

S: En México, haciendo un curso de español en la Universidad. También he visitado Mérida y Oaxaca.

F: ¡Qué bien!. Entonces, habrás aprendido mucho, ¿no?

S: Sí, bastante. Ahora hablo español mejor que antes.

F: ¿Y qué tal México DF? ¿te ha gustado?

S: Bueno, es demasiado grande. Hay mucha polución y muchos coches. Mérida me gusta más que México DF. No es tan grande como otras ciudades, pero es muy animada.

F: Pues yo no he viajado tanto como tú. Me he quedado en España. En Navidades me fui a Asturias.

S: ¿Y qué tal por allí?

F: Fatal, llovía tanto como en Inglaterra.

S: ¿Y has practicado mucho?

F: Menos que tú, seguro. He conocido a una chica italiana y he practicado más italiano que español.

¡tienes la palabra!

Para ayudarte:

Mérida me gusta MAS QUE México	+
Llovía TANTO COMO en Inglaterra	=
He practicado MENOS QUE tú	—

1.

Lee estas frases sobre ciudades y países de Hispanoamérica. Compara los datos con los de tu país/ciudad, como en el ejemplo:

México DF (Distrito Federal)
tiene 20 millones de habitantes .... *Florencia/Hamburgo/Edimburgo/etc.*
tienen MENOS habitantes QUE México.

— En Guatemala llueve unos 100 días al año.
— Asunción tiene medio millón de habitantes.
— México es el tercer productor de petróleo del mundo con más de 150.000.000 de toneladas al año.
— Chile produce 1,8 millones de toneladas de petróleo al año.

2.

En grupos, discutid estas afirmaciones, como en el ejemplo:

Ejemplo: *Las mujeres conducen mejor que los hombres*
A. *No estoy de acuerdo porque...*
B. *Creo que conducen igual...*
C. *Estoy de acuerdo...*

— Los jóvenes se divierten menos que los mayores.
— Los profesores trabajan más que los estudiantes.
— Las mujeres hablan más que los hombres.
— Los ejecutivos trabajan tanto como los obreros.

C. *Cajón de sastre: biografías*

PICASSO
Nació en Málaga en 1881. Estudió Bellas Artes en Barcelona y Madrid. En 1904 se fue a París. Fue un artista excepcional. Creó el movimiento cubista. Su obra más conocida es el ''Guernica''. La pintó en 1938. Murió en Mougins (Francia) en 1973.

EVITA
Nació el 7 de mayo de 1919 en Los Toldos (cerca de Buenos Aires). Fue actriz. En 1945 se casó con Juan Domingo Perón, presidente de Argentina desde 1946 hasta 1953. Evita tuvo mucha influencia en la política. Organizó a las mujeres trabajadoras. Actuó como ministra ''de facto'' de Salud y Bienestar. En 1951, ya énferma de cáncer, el partido peronista la nombró vicepresidenta, pero el ejército la obligó a retirarse.
Murió de cáncer en 1952 en Buenos Aires.

PANCHO VILLA (1876-1923)
Guerrillero mexicano enfrentado con el Presidente de México, vivió en rebeldía hasta 1920. Murió asesinado.

EMILIANO ZAPATA Y PANCHO VILLA
Emiliano Zapata nació en 1879, en una familia de campesinos pobres. Fue un conocido jefe revolucionario. Luchó contra cuatro presidentes mexicanos. Murió asesinado en 1919.

¡tienes la palabra!

Para ayudarte:

REGULARES			IRREGULARES		
	3.ª Pers. Sing.	3.ª Pers. Plural		3.ª Pers. Sing.	3.ª Pers. Plural
ESTUDIAR	estud**ió**	estudi**aron**	HACER	hizo	hicieron
NACER	nac**ió**	nac**ieron**	TENER	tuvo	tuvieron
SALIR	sal**ió**	sal**ieron**	IR	fue	fueron
LUCHAR	luch**ó**	luch**aron**	SER	fue	fueron
			MORIR	murió	murieron

En grupos. A piensa en un personaje famoso. Los demás preguntan datos de su vida. A responde. Hay que adivinar quién es el personaje.

Ejemplo: ¿Dónde nació? A: En Ajaccio
¿Cómo se llamaba? A: No puedo decirlo

En parejas. Haced preguntas sobre estos personajes y completad los cuadros. A sólo puede consultar su cuadro y B el suyo.

A

	Parral (Chile)	escritor y diplomático	
1851-1830	Cartagena (España)		
			luchó por la independencia de Latino-américa

B

Pablo Neruda	1904-1973		escribió "Canto General"
Isaac Peral		marino	inventó el submarino
Simón Bolivar		Caracas (Venezuela)	militar	

¿Cuándo nació? ¿Qué fue?
¿Cuándo murió? ¿Qué hizo?
¿Dónde nació?

 173

CONTENIDO COMUNICATIVO

¿Cómo…?

• **EXPRESAR ACCIONES, DURATIVAS INTERRUMPIDAS POR OTRA ACCION**	Cuando estaba viendo la tele, entró un ladrón.
• **NARRAR HECHOS Y CONTAR LA VIDA DE UNA PERSONA**	Picasso nació en Málaga.
• **HACER COMPARACIONES**	Mérida no es tan grande como México D.F.

CONTENIDO LINGÜÍSTICO

Gramática

• Más verbos en Pretérito Indefinido

LEER	MORIR	NACER
leí	(él) murió	nació
leíste	(ellos) murieron	nacieron
leyó		
leímos		
leísteis		
leyeron		

• Estructuras comparativas

1. Con adjetivos

MÁS _____QUE
MENOS _____QUE
TAN _____COMO
Juan es tan alto como Andrés

2. Con verbos

MÁS QUE
MENOS QUE
TANTO COMO
Yo trabajo tanto como tú

LÉXICO

amplía tu vocabulario

el ladrón
el robo-(robar)
el atraco-(atracar)-un atracador
un detenido (detener)
llamar a la policía

un suceso
un acontecimiento
la página de sucesos
(periódico)

1. ■ Lee y contesta a las preguntas:

43 SUPERVIVIENTES DE UN AVIÓN BRASILEÑO TRES DIAS PERDIDOS EN LA SELVA AMAZÓNICA

L a noche del pasado domingo, un avión que volaba de Marabá a Belem cayó en la selva amazónica.

Como consecuencia del accidente, murieron 13 personas. Los 43 supervivientes pasaron horas angustiosas porque oían muy cerca los aviones de rescate, pero los pilotos no los encontraban a causa de la vegetación.

El problema principal era el agua. El segundo día, uno de los viajeros descubrió un río que pasaba cerca del avión. El tercer día, cuatro pasajeros fueron a buscar ayuda, caminaron 40 kms. y llegaron a una hacienda. Desde allí avisaron a los aviones de salvamento y, finalmente, los pasajeros del avión fueron rescatados.

1. ¿Qué le pasó a un avión que volaba de Marabá a Belem?
2. ¿Cuáles fueron las consecuencias del accidente?
3. ¿Por qué no los encontraban?
4. ¿Cuál era el principal problema?
5. ¿Qué pasó el segundo día?
6. ¿Y el tercero?

actividades.

2. Eleuterio Sánchez: de bandido a abogado.

1965: condenado a muerte

Eleuterio Sánchez nació en la provincia de Salamanca en 1943, en una familia gitana muy pobre. Tiene ocho hermanos.

A los 19 años lo condenaron a dos años de prisión por robar unas gallinas. Mientras estaba en prisión nació su segundo hijo.

En 1965 atracó una joyería junto con otros dos cómplices. Uno de ellos mató al guarda. Los policías detuvieron a Eleuterio unos días después, lo torturaron y lo acusaron de asesinato. Eleuterio fue condenado a muerte pero el general Franco redujo la sentencia a treinta años de prisión. Eleuterio se hizo famoso. Los periódicos lo llamaban "El Lute"

1972: el bandido más buscado por la policía.

En junio de 1966, cuando lo trasladaban desde Santander a Madrid, Eleuterio saltó del tren y anduvo 170 Kms. para escapar de los policías, pero estos lo detuvieron dos días después.

En 1971 se escapó de la prisión de Cádiz. Pasó dos años huyendo de la policía por toda España con dos hermanos suyos. Durante este tiempo, fue a casa de su mujer en Madrid y se llevó a sus dos hijos, pistola en mano. También se casó en Granada con otra mujer (la policía apareció en la boda y tuvo que salir huyendo).

En 1973 la policía lo detuvo. Lo acusaron de más de 100 delitos, entre ellos 97 robos.

1981: recibiendo una medalla del ministro de Justicia.

Eleuterio no volvió a escaparse, pero su transformación fue espectacular. Estudió primero el Bachillerato y luego la carrera de Derecho, escribió cuatro libros, dio conferencias, lo entrevistaron políticos, escritores y periodistas. El 19 de junio de 1981 el gobierno le concedió el indulto: Eleuterio era libre por fin.

Ese mismo año, el ministro de Justicia le entregó una medalla concedida por los periodistas al personaje más famoso del año.

Ahora don Eleuterio Sánchez (ya nadie le llama "El Lute") es abogado y escritor. Es un defensor de la causa de los gitanos y los presos, y lucha contra la discriminación social de estos grupos.

Contesta estas preguntas:

a) ¿Cuántos años pasó Eleuterio en prisión?
b) ¿Cuántas veces se escapó?
c) ¿Cuándo salió de la prisión?
d) ¿Cuántos hijos tiene?
e) ¿Qué delitos cometió?
f) ¿En qué consistió la "transformación espectacular"?

Escribe:

— ¿Qué te ha interesado más de la vida de Eleuterio Sánchez?
— ¿Conoces a algún otro "fugitivo" famoso? Cuenta algo de su vida.

Debate:
— La reinserción social

a ctividades.

Consonantes relajadas.

1 Escucha las siguientes series de palabras y compáralas. En una serie los sonidos /b,d,g/ suenan de forma más débil (relajada) que en la otra.

a) doler baño ganar
b) estado estaba amigo

2 Ahora escucha estas palabras y di si la b, d o g suenan fuertes (F) o débiles (D).

	F	D
salu**d**ar		
dinero		
pa**g**ar		
hue**v**o		
vino		
gustar		
na**d**a		

3 Escucha y repite estas frases. Todos los sonidos /b,d,g/ deben pronunciarse de forma débil o relajada:

a) Esas medias son muy elegantes
b) Ya me olvidaba de tu amigo
c) Pregunta por el probador
d) ¿Ha llegado tu marido?

DESCUBRIENDO

Hechos importantes desde 1939

1939 Fin de la Guerra Civil — Victoria de las fuerzas franquistas.

1955 España admitida en la ONU.

1967 Aprobación de la Ley Orgánica del Estado.

1975 Muerte del General Franco — Don Juan Carlos de Borbón es nombrado Rey de España.

1976 Consenso para una Reforma Política.

1977 Primeras elecciones generales — Triunfo de la Unión de Centro Democrático — Adolfo Suárez, Presidente.

1978 Promulgación y aprobación de la Constitución el 6 de diciembre por referéndum.

1979 Elecciones Generales — Gana la Unión de Centro Democrático — Adolfo Suárez, Presidente.

1981 23 F (23 de febrero) — Intento de golpe de Estado.

1982 Triunfo Socialista en las terceras elecciones generales — Felipe González, Presidente.

1986 Entrada en la CEE el 1 de Enero y en Marzo referéndum que ratifica el ingreso de España en la OTAN.

1989 Cuartas Elecciones Generales — Sigue ganando el Partido Socialista — Noviembre, premio Nobel de Literatura a Camilo José Cela.

1990 Exposición antológica de Velázquez en el Museo del Prado — 800.000 de visitantes.

1992 • Con motivo del 5.º Centenario del Descubrimiento de América, Exposición Universal en Sevilla.

• Barcelona, Juegos Olímpicos de verano.

• Madrid, Capital Cultural de Europa.

Hechos históricos

Fusilamiento de la Moncloa.
Francisco de Goya

El Guernica.
Pablo Picasso

Colón y los Reyes Católicos.

Los Reyes de España.

descubriendo...

TEST 5

Repaso unidades 13, 14 y 15

1. Relaciona las frases con los dibujos:

Ejemplo: **Si tengo dinero, me compraré un coche.**
Si estudio poco
Si acabo de trabajar temprano
Si como mucho chocolate
Si hace buen tiempo
Si voy a Estados Unidos

ir a la playa

comprarse un coche

engordar

aprender inglés

llamar por teléfono

no aprobar el examen

2. Pon nombre a los siguientes objetos:

3. Di lo que haces estos días:

Ejemplo: A. Di lo que haces a veces los domingos:
ej.: **A veces los domingos como con mis padres.**
B. Di algo que no haces nunca los lunes por la noche.

C. Di algo que haces a menudo en vacaciones.

D. Di algo que haces siempre en verano.

E. Di algo que haces muchas veces a la semana.

F. Di algo que haces pocas veces al mes.

4. Completa las frases con los verbos en la forma adecuada

Ejemplo: **SALIR (ella) Ayer_____muy temprano de casa. "salió"**

VER (yo)

a. Antes_____la televisión mucho.

b. Sonó el teléfono cuando_____una película muy interesante.

c. Ayer_____a Juan. Comimos juntos.

HABLAR (nosotros)

d. _____de Juan y de pronto apareció por la puerta.

e. Estuvimos juntos toda la tarde._____de política, de modas, de deportes, de todo.

f. Cuando Juan trabajaba en la compañía Telefónica me llamaba todos los días y_____durante horas.

SER (ella)

g. En el colegio mi mejor amiga_____Isabel. Ahora no nos vemos nunca.

h. Isabel_____directora de la compañía de 1982 a 1987.

i. Cuando la nombraron directora_____más joven que los otros ejecutivos.

ESTAR (tú)

j. ¿_____en la fiesta de Miguel ayer?

k. Mira. Esta es una foto mía. Es del verano pasado._____más delgado que ahora.

l. ¿_____en Cancún cuando pasó el huracán?

5. Escribe 5 frases comparando a Juan con Isabel.

Ejemplo: **"Juan es más alto que Isabel"**

JUAN	ISABEL
(altura) 1,70 m.	(altura) 1,58 m.
3 hermanos	1 hermano
25 años	23 años
trabaja 8 horas al día	trabaja 8 horas
gana 800.000 pesos al mes	gana 1.000.000 de pesos al mes

6. Pon los verbos en Pretérito Indefinido.

Ejemplo: **"nacieron"**

a. Ana y Fernando (NACER)_____los dos en 1958.

b. La policía (DETENER)_____ayer por la tarde a dos hombres.

c. Juan y yo (CONOCERSE)_____hace dos años.

d. Evita (MORIR)_____muy joven.

e. El ladrón (ROBAR)_____gran cantidad de joyas.

f. (TENER)_____que huir. Era demasiado peligroso para mí.

g. El general Perón (CASARSE)_____tres veces.

h. Al morir su segunda mujer, Perón (VOLVER)_____a casarse.

Gramática

SUSTANTIVOS Y ADJETIVOS

— **En español, los sustantivos son o masculinos o femeninos:**
El coche, el árbol, la camisa, el vestido.
— **Los sustantivos que indican sexo tienen los dos géneros:**
>   el niño - la niña
>   el gato - la gata
>   el profesor - la profesora
— **Además, los sustantivos pueden ir en singular o en plural.**
>   los niños - las niñas
>   los profesores - las profesoras
— **Los adjetivos tienen el género (masculino o femenino) y el número (singular o plural) del sustantivo al que acompañan:**
>   los niños morenos
>   las niñas morenas

	Masculino	Femenino
singular	el gato blanco	la gata blanca
	el estudiante inglés	la estudiente inglesa
	el profesor inteligente	la profesora inteligente
	el padre cariñoso	la madre cariñosa
Plural	los gatos blancos	las gatas blancas
	los estudiantes ingleses	las estudiantes inglesas
	los profesores inteligentes	las profesoras inteligentes
	los padres cariñosos	las madres cariñosas

ARTÍCULOS

Singular	
masculino	femenino
el	la
un	una

Plural	
masculino	femenino
los	las
unos	unas

Me he comprado unos zapatos
La cocina es muy grande

— **A + EL = AL**
— **DE + EL = DEL**
La cocina está al lado del comedor
— **Delante de los días de la semana, siempre se pone artículo:**
>   El lunes pasado vi a Luis
>   Todos los lunes voy al gimnasio

DEMOSTRATIVOS

Singular	
masculino	**femenino**
este	esta
ese	esa
aquel	aquella

Plural	
masculino	**femenino**
estos	estas
esos	esas
aquellos	aquellas

— **Estas formas funcionan como adjetivos y como pronombres:**

Esta bicicleta me gusta más que aquella

esto
eso
aquello

funcionan sólo como pronombres, nunca pueden acompañar a un sustantivo. Se utilizan sobre todo en preguntas.

A. ¿Qué es aquello?
B. No sé... parece un globo.

EXPRESAR POSESIÓN

— ser + mío/tuyo/suya...
— ser de él/ella/ellos...
— ser de María/mi hermano...

¿De quién es esta cartera?
(Es) mía.

ADJETIVOS POSESIVOS

Singular	Plural
mi	mis
tu	tus
su	sus
nuestro/a	nuestros/as
vuestro/a	vuestros/as
su	sus

mi casa - mi libro
nuestra casa - nuestro libro

PRONOMBRES POSESIVOS

Singular	
mío	mía
tuyo	tuya
suyo	suya
nuestro	nuestra
vuestro	vuestra
suyo	suya

Plural	
míos	mías
tuyos	tuyas
suyos	suyas
nuestros	nuestras
vuestros	vuestras
suyos	suyas

Aquí están mis maletas, pero ¿dónde están las tuyas?
Este coche es el mío y aquel es el tuyo.
No, esta cartera no es mía.

EXPRESAR TIEMPO

ADVERBIOS Y EXPRESIONES TEMPORALES

— Antes, ahora, después...
— Ayer, hoy, mañana...
— Todavía, ya...
— Pronto/tarde
— Temprano/tarde

Hace 2 años estuve en Marruecos.
Esta mañana he hecho un examen.
El mes que viene iré a Italia.

EXPRESAR LUGAR

ADVERBIOS Y EXPRESIONES DE LUGAR

— Aquí, allí
— Cerca, lejos, dentro, fuera, encima, debajo, enfrente, al lado, a la derecha, al fondo
— Cerca de, lejos de, dentro de...

CANTIDADES Y MEDIDAS

ADVERBIOS

— Mucho, bastante, nada, poco, demasiado
A mí no me gusta nada el fútbol

Muy/Mucho
Es muy alto
Vivo muy lejos   Estudio mucho

PRONOMBRES INDEFINIDOS

— Nada, nadie, algo, alguien, algún/o/a/os/as, ningún/o/a

ADJETIVOS INDEFINIDOS

— Mucho/a/os/as, poco/a/os/as, bastante/s, demasiado/s, algún
Tengo muchos amigos y pocas amigas

NUMERALES

0	cero	30	treinta
1	uno	31	treinta y uno (un) una
2	dos	32	treinta y dos
3	tres	40	cuarenta
4	cuatro	50	cincuenta
5	cinco	60	sesenta

6	seis	70	setenta
7	siete	80	ochenta
8	ocho	90	noventa
9	nueve	100	cien
10	diez	101	ciento uno
11	once	150	ciento cincuenta
12	doce	200	doscientos/as
13	trece	300	trescientos/as
14	catorce	400	cuatrocientos/as
15	quince	500	quinientos/as
16	dieciséis	600	seiscientos/as
17	diecisiete	700	setencientos/as
18	dieciocho	800	ochocientos/as
19	diecinueve	900	novecientos/as
20	veinte	1.000	mil
21	veintiuno	1.150	mil ciento cincuenta
22	veintidós	2.000	dos mil
23	veintitrés	100.000	cien mil
24	veinticuatro	1.000.000	un millón
25	veinticinco	2.000.000	dos millones

ORDINALES

1er primer/o		6.º sexto
2.º segundo		7.º séptimo
3.º tercer/o		8.º octavo
4.º cuarto		9.º noveno
5.º quinto		10.º décimo

María estudia primero de Medicina
Mis abuelos viven en el primer piso
La tercera calle a la derecha es Padilla

Pesos

Medio kilo de tomates
Un cuarto de gambas
100 gramos de jamón
Una lata de atún
Una botella de leche

PRONOMBRES PERSONALES

	SUJETO	OBJ. DIRECTO	OBJ. INDIRECTO	CON PREPOSICION	REFLEXIVO
Singular	yo	me	me	mí	me
	tú	te	te	ti	te
	él, ella	lo (le) la	le (se)	él, ella	se
Plural	nosotros/as	nos	nos	nosostros/as	nos
	vosotros/as	os	os	vosotros/as	os
	ellos/as	los (les) las	les (se)	ellos/as	se

— "Usted" **es la forma de cortesía para la 2.ª persona del singular. Lleva el verbo en 3.ª persona.**
"Ustedes" **es la forma del plural.**
— **Cuando el Objeto Indirecto LE o LES va seguido de un Objeto Directo, en 3.ª persona, se transforma en SE:**
SE LO dije
— **Cuando MI y TI van precedidos de CON:**
CON + MI = CONMIGO
CON + TI = CONTIGO

PREPOSICIONES

A
— **Lugar:** Ayer fui a casa de un amigo
— **Hora:** Todos los días me levanto a las 8
— **Objeto Directo:** Esta mañana he visto a tu marido

EN
— **Lugar:** Vivo en Madrid
— **Medio de transporte:** Voy al trabajo en metro
— **Tiempo:** En verano/en 1952/en diciembre...

DE
— **Origen:** Soy de Argentina
— **Lugar:** Vengo de la playa
— **Materia:** Me gustan las camisas de seda
— **Hora:** Son las 3 de la tarde

DESDE - HASTA
— **Tiempo:** ¿Dónde has estado desde las 6 hasta las 8?
— **Lugar:** Antonio me llamó desde la oficina

POR
— **Medio:** Por teléfono/por carta/por correo
— **Tiempo:** Ayer por la mañana empecé las clases
— **Lugar:** Me gusta mucho pasear por el parque

PARA
— **Finalidad:** Quiero ir a España para aprender español

HACER PREGUNTAS

¿Cómo te llamas?
¿Qué haces?
¿De dónde eres?
¿De qué talla?
¿Dónde están los servicios?

¿Cuál es tu número de teléfono?
¿Quién le llama?
¿Por qué has llegado tarde?
¿Cuánto es?
¿Cuántas habitaciones tiene?

EXPRESAR CAUSA

A. ¿Por qué has llegado tarde?
B. Porque he ido al médico

EXPRESAR OPCIONES

A. ¿Quieres venir al cine o al teatro?
B. Prefiero ir al cine

EXPRESAR CONDICIÓN

Si puedes, ven a verme
Si tenemos tiempo, iremos al cine
Si quieres, esta tarde vamos de compras

PERIFRASIS VERBALES

Estar + GERUNDIO: Ahora estoy viendo la tele
Tener + QUE + INFINITIVO: Tengo que ir a casa de unos amigos
Ir + A + INFINITIVO: ¿Vamos a bañarnos?

TIPOS DE VERBOS

— **Reflexivos:** llamarse, acostarse, levantarse, irse, bajarse, encontrarse, quedarse.
— **Verbos que tienen como modelo al verbo** GUSTAR: doler, parecer, quedar (bien/mal)
— **Impersonales:** hay, hace (frío), llueve...

SER

— **Origen/nacionalidad**	Soy francés. Soy de Francia
— **Profesión**	Soy abogado
— **Identidad**	¿Eres Leonor?
— **Cualidades permanentes**	Mi trabajo es interesante
	Leonor es joven, alta y rubia
— **Decir la hora**	Son las tres
— **Hablar del precio**	¿Cuánto es? Son 500 ptas.
— **Posesión**	Es mío/Es de Juan
— **Significado de "celebrar"**	La lotería es en diciembre
— **Verbo SER + sustantivo (nunca ESTAR)**	Somos compañeros de trabajo
	Era un pueblo muy bonito

ESTAR

— **Lugar:**	Los libros están encima de la mesa
— **Estado físico y anímico:**	¿Cómo está Vd.?/(Estoy) bien, gracias
	Estoy preocupada
	La maleta está rota
— **Expresiones:**	Están de vacaciones
	Estás en forma
	Estoy en el paro

¿Hay una farmacia aquí cerca? Hay muchos alumnos en clase
Todos los domingos hay baile La farmacia está aquí cerca
Hay bocadillos de queso Los libros están encima de la mesa

VERBOS REGULARES

Presente	Perfecto	Imperfecto	Indefinido	Futuro	Imperativo	Participio	Gerundio
HABLAR						hablado	hablando
hablo	he hablado	hablaba	hablé	hablaré			
hablas	has hablado	hablabas	hablaste	hablarás	habla		
habla	ha hablado	hablaba	habló	hablará	hable		
hablamos	hemos hablado	hablábamos	hablamos	hablaremos			
habláis	habéis hablado	hablabais	hablasteis	hablaréis	hablad		
hablan	han hablado	hablaban	hablaron	hablarán	hablen		
COMER						comido	comiendo
como	he comido	comía	comí	comeré			
comes	has comido	comías	comiste	comerás	come		
come	ha comido	comía	comió	comerá	coma		
comemos	hemos comido	comíamos	comimos	comeremos			
coméis	habéis comido	comíais	comisteis	comeréis	comed		
comen	han comido	comían	comieron	comerán	coman		
VIVIR						vivido	viviendo
vivo	he vivido	vivía	viví	viviré			
vives	has vivido	vivías	viviste	vivirás	vive		
vive	ha vivido	vivía	vivió	vivirá	viva		
vivimos	hemos vivido	vivíamos	vivimos	viviremos			
vivís	habéis vivido	vivíais	vivisteis	viviréis	vivid		
viven	han vivido	vivían	vivieron	vivirán	vivan		

VERBOS IRREGULARES

Presente	Indefinido	Futuro	Imperativo	Participio	Gerundio
CERRAR				cerrado	cerrando
cierro	cerré	cerraré			
cierras	cerraste	cerrarás	cierra		
cierra	cerró	cerrará	cierre		
cerramos	cerramos	cerraremos			
cerráis	cerrasteis	cerraréis	cerrad		
cierran	cerraron	cerrarán	cierren		
DAR				dado	dando
doy	di	daré			
das	diste	darás	da		
da	dio	dará	dé		
damos	dimos	daremos			
dais	disteis	daréis	dad		
dan	dieron	darán	den		
DECIR				dicho	diciendo
digo	dije	diré			
dices	dijiste	dirás	di		
dice	dijo	dirá	diga		
decimos	dijimos	diremos			
decís	dijisteis	diréis	decid		
dicen	dijeron	dirán	digan		
ESTAR				estado	estando
estoy	estuve	estaré			
estás	estuviste	estarás	está		
está	estuvo	estará	esté		
estamos	estuvimos	estaremos			
estáis	estuvisteis	estaréis	estad		
están	estuvieron	estarán	estén		
HACER				hecho	haciendo
hago	hice	haré			
haces	hiciste	harás	haz		
hace	hizo	hará	haga		
hacemos	hicimos	haremos			
hacéis	hicisteis	haréis	haced		
hacen	hicieron	harán	hagan		

IR

voy	fui	iré		ido	yendo
vas	fuiste	irás	ve		
va	fue	irá	vaya		
vamos	fuimos	iremos			
vais	fuisteis	iréis	id		
van	fueron	irán	vayan		

OIR

oigo	oí	oiré		oído	oyendo
oyes	oíste	oirás	oye		
oye	oyó	oirá	oiga		
oímos	oímos	oiremos			
oís	oísteis	oiréis	oíd		
oyen	oyeron	oirán	oigan		

PODER

puedo	pude	podré		podido	pudiendo
puedes	pudiste	podrás	puede		
puede	pudo	podrá	pueda		
podemos	pudimos	podremos			
podéis	pudisteis	podréis	poded		
pueden	pudieron	podrán	puedan		

PONER

pongo	puse	pondré		puesto	poniendo
pones	pusiste	pondrás	pon		
pone	puso	pondrá	ponga		
ponemos	pusimos	pondremos			
ponéis	pusisteis	pondréis	poned		
ponen	pusieron	pondrán	pongan		

QUERER

quiero	quise	querré		querido	queriendo
quieres	quisiste	querrás	quiere		
quiere	quiso	querrá	quiera		
queremos	quisimos	querremos			
queréis	quisisteis	querréis	quered		
quieren	quisieron	querrán	quiera		

SABER

sé	supe	sabré		sabido	sabiendo
sabes	supiste	sabrás	sabe		
sabe	supo	sabrá	sepa		
sabemos	supimos	sabremos			
sabéis	supisteis	sabréis	sabed		
saben	supieron	sabrán	sepan		

SALIR

salgo	salí	saldré		salido	saliendo
sales	saliste	saldrás	sal		
sale	salió	saldrá	salga		
salimos	salimos	saldremos			
salís	salisteis	saldréis	salid		
salen	salieron	saldrán	salgan		

SEGUIR

sigo	seguí	seguiré		seguido	siguiendo
sigues	seguiste	seguirás	sigue		
sigue	siguió	seguirá	siga		
seguimos	seguimos	seguiremos			
seguís	seguisteis	seguiréis	seguid		
siguen	siguieron	seguirán	sigan		

SER

soy	fui	seré		sido	siendo
eres	fuiste	serás	sé		
es	fue	será	sea		
somos	fuimos	seremos			
sois	fuisteis	seréis	sed		
son	fueron	serán	sean		

TENER

tengo	tuve	tendré		tenido	teniendo
tienes	tuviste	tendrás	ten		
tiene	tuvo	tendrá	tenga		
tenemos	tuvimos	tendremos			
tenéis	tuvisteis	tendréis	tened		
tienen	tuvieron	tendrán	tengan		

VENIR

vengo	vine	vendré		venido	viniendo
vienes	viniste	vendrás	ven		
viene	vino	vendrá	venga		
venimos	vinimos	vendremos			
venís	vinisteis	vendréis	venid		
vienen	vinieron	vendrán	vengan		

VOLVER

vuelvo	volví	volveré		vuelto	volviendo
vuelves	volviste	volverás	vuelve		
vuelve	volvió	volverá	vuelva		
volvemos	volvimos	volveremos			
volvéis	volvisteis	volveréis	volved		
vuelven	volvieron	volverán	vuelvan		

Glosario

para completar por el alumno

Unidad 1

acento (el) ....
ahora ....
alemán/a ....
amigo/a ....
andaluz/a ....
bien ....
¡bueno! ....
bueno/a ....
bocadillo (el) ....
¿cómo? ....
cosa (la) ....
decir ....
decorador/a ....
diseñador/a ....
¿dónde? ....
entonces ....
escribir ....
estudiante (el/la) ....
estudiar ....
¡estupendo! ....
hacer ....
hasta ....
¡hasta la vista! ....
¡hasta pronto! ....
¡hola! ....
inglés/a ....
llamarse ....
mirar ....
mueble (el) ....
muy ....
presentar ....
pronto ....
¡hasta pronto! ....
¿qué tal? ....
ser ....
sí ....
trabajar ....
vivir ....
y ....

Unidad 2

banco (el) ....
bienvenido/a ....
clase (la) ....
colombiano/a ....
compañero/a ....
compañía (la) ....
con ....
día (el) ....
buenos días ....
economista (el/la) ....
encontrarse ....
estar ....
estar de vacaciones ....
este/a ....
¡gracias! ....
hablar ....
italiano/a ....
mucho/a ....
¡mucho gusto! ....
salvadoreño/a ....
trabajo (el) ....
usted/es ....

Unidad 3

además ....
al fondo ....
alegre ....
allí ....
alquiler (el) ....
antiguo/a ....
aquí ....
aquí mismo ....
bastante ....
bonito/a ....
buscar ....
calle (la) ....
caluroso/a ....
casa (la) ....

cocina (la) ....
como ....
cómodo/a ....
contar ....
¿cuánto? ....
cuarto (el) ....
cuarto de baño ....
derecha ....
a la derecha ....
dormitorio (el) ....
edificio (el) ....
esperar ....
frío/a ....
invierno (el) ....
izquierda ....
a la izquierda ....
mal ....
más ....
¡oiga! ....
otro/a ....
pasar ....
pequeño/a ....
piso (el) ....
precio (el) ....
problema (el) ....
recibidor (el) ....
ruidoso/a ....
salón (el) ....
tener ....
tranquilo/a ....
vecino/a ....
verano (el) ....

Unidad 4

al lado de ....
abrir ....
amable ....
atravesar ....
autobús (el) ....
bajar (se) ....

cerca

coger

¡de acuerdo!

¡de nada!

farmacia (la)

¡hasta luego!

hay

hora (la)

luego

mejor

menos

metro (el)

minuto (el)

parada (la)

¡perdone!

plaza (la)

¡por favor!

recto/a

reloj (el)

seguir

supermercado (el)

tarde (la)

por la tarde

venir

Unidad 5

¡a ver!

¿algo más?

agua (el)

ajedrez (el)

algo

algún/a

beber

caña (la)

menú (el)

carta (la)

juego (el)

camarero/a

cerveza (la)

comer

concierto (el)

empezar

espárrago (el)

gustar

hambre (el) (fem)

jamón (el)

jugar

leer

mayonesa (la)

merluza (la)

música (la)

ordenador (el)

pensar

poco/a

un poco

poder

¡ponga!

presentador/a

querer

queso (el)

restaurante (el)

tapa (la)

tomar

Unidad 6

acostar (se)

alto/a

antes

año (el)

cenar

claro/a

delgado/a

después

foto (la)

guapo/a

moreno/a

notario/a

novio/a

oscuro/a

parecer

periódico (el)

rubio/a

salir

simpático/a

volver

Unidad 7

¡aquí tiene(s)!

azul

caro/a

¡claro!

creer

cuero (el)

desear

elegante

esperar

falda (la)

llevar(se)

negro/a

¡no está mal!

pagar

pantalón (el)

precio (el)

preferir

probador (el)

probar(se)

quedar

quedar bien/mal

rojo/a

ropa (la)

talla (la)

tarjeta (la)

tarjeta de crédito

tela (la)

tienda (la)

valer

Unidad 8

café (el)

¿de verdad?

¿diga?

estupendamente

interesante

invitar

¡lo siento! ....

nada ....

oír ....

partido (el) ....

poner ....

¿por qué? ....

porque ....

ruido (el) ....

quedar (a una hora, un día) ....

¿quién? ....

saber ....

té (el) ....

¿vale? ....

Unidad 9

bañar(se) ....

billete (el) ....

calor (el) ....

dentro de ....

¡depende! ....

dormir ....

estación (la) ....

¡hasta luego! ....

llegar ....

mes (el) ....

el mes pasado ....

el mes que viene ....

mañana por la mañana ....

¡me da igual! ....

momento (el) ....

dentro de un momento ....

noche (la) ....

por la noche ....

piscina (la) ....

playa (la) ....

rato (el) ....

dentro de un rato ....

sed (la) ....

sol (el) ....

¡vamos! ....

¡ya! ....

Unidad 10

¡a ver! ....

balance (el) ....

compañero/a ....

doler ....

¡hombre! ....

¡lo siento! ....

médico (el/la) ....

llorar ....

oficina (la) ....

organizado/a ....

pasárselo bien/mal ....

perder ....

pueblo (el) ....

salir ....

terminar ....

todavía ....

todavía no ....

vez ....

alguna vez ....

a veces ....

otra vez ....

viaje (el) ....

Unidad 11

acordarse ....

desde ....

después ....

acomodador ....

aproximadamente ....

¡cómo eres! ....

cliente/a ....

disco (el) ....

fiesta (la) ....

hotel (el) ....

inspector/a ....

nadie ....

negocio (el) ....

nevera (la) ....

ninguno/a ....

regalar ....

reunión (la) ....

visitar ....

visita (la) ....

Unidad 12

conocer ....

chico/a ....

¿de parte de quién? ....

difícil ....

etiqueta (la) ....

éxito (el) ....

extranjero/a ....

importar ....

¡no importa! ....

interesante ....

¡lo siento! ....

lotería (la) ....

maleta (la) ....

momento (el) ....

un momento, por favor ....

Navidad (la) ....

paro (el) ....

¡perdone! ....

perro/a ....

próximo/a ....

recado (el) ....

¡sigamos! ....

suerte (la) ....

por suerte ....

tocar ....

tocar la lotería ....

¡vaya! ....

¡vaya por Dios! ....

Unidad 13

a menudo
a veces
alimentación (la)
andar
baile (el)
bastante
cajetilla (la)
campo (el)
ciudad (la)
demasiado
disfrutar
fumar
gente (la)
gimnasia (la)
joven
marchar
¡menos mal!
montaña (la)
¡no me digas!
paisaje (el)
pasear
paseo (el)
pescar
quedar (con alguien)
¡qué pena!
¡qué mala suerte!
¡qué rollo!
reaccionar
río (el)
rodear
siempre
tranquilidad (la)
tranquilo/a
vida (la)

Unidad 14

aparcar
competición (la)
¡da igual!
dato (el)
dejar
¡depende!
estar en forma
hay que
matricular (se)
medalla (la)
miedo (el)
multa (la)
mundo (el)
todo el mundo
¡no hace falta!
pista (la)
prohibir
pronto
región (la)
rellenar
reservar
robar
secretaría (la)
sobre (el)
también
trofeo (el)

Unidad 15

animado/a
artista (el/la)
cajón (el)
delito (el)
de pronto
de repente
descubrir
detener
¡fatal!
guardar
intentar
ladrón/a
luchar
mejor
ministerio (el)
ministro/a
morir
movimiento (el)
muerte (la)
obra (la)
política (la)
polución (la)
presidente/a
¡qué bien!
retirar (se)
seguro/seguramente
tanto como...

Saludos informales
Identificación personal
Género de adjetivos y sustantivos

A. *Haciendo amigos*

— Se presentan los saludos y la identificación personal en un registro informal que es el habitual en clase, entre los alumnos. Sólo aparece, por tanto, la forma de tratamiento «tú».
— Los adjetivos y los nombres de profesionales tienen formas diferentes para el femenino y el masculino.
— Uso de *ser* con «profesión» y «origen-nacionalidad».
— El verbo *llamarse* suele ser incluido en el grupo de los reflexivos y se conjuga como tal, pero en esta lección no conviene hablar de esto, sólo fijar las formas para «tú» y «yo».

SUGERENCIAS

Antes de abrir el libro:

Si es el primer día de clase y el profesor no conoce a los estudiantes, esta sección es muy apropiada para presentarse. El profesor saluda y se presenta nada más entrar en clase:
Profesor: «Hola» (repite varias veces hasta que los estudiantes respondan).
Estudiantes: «Hola».
Profesor: «Me llamo...» (repite, se señala a sí mismo).
(A varios estudiantes): «¿Cómo te llamas?» Si el estudiante responde repitiendo «¿Cómo te llamas?», el profesor contesta «Me llamo...». Si el estudiante comprende y responde «Me llamo...», el profesor pasa al siguiente estudiante.
Si hay estudiantes en clase cuya nacionalidad no está incluida en «Para ayudarte», el profesor escribe los nombres de nacionalidad necesarios en la pizarra. Cada estudiante copia en su cuaderno el adjetivo de nacionalidad que le corresponde, en el género adecuado: «Soy griega, soy danés, etc.».
El profesor indica con mímica o con dibujos el significado de los verbos «estudiar» y «trabajar» y de los nombres de profesión.
Para explicar cómo se expresa el origen, el profesor adapta el ejemplo del libro y habla de sí mismo: «Soy de Barcelona/Manchester/Lyon/Frankfurt...», «Vivo en...».
Los alumnos tendrán ocupaciones distintas a las del «Para ayudarte»; el profesor escribe los nombres necesarios en la pizarra y los estudiantes los anotan en sus cuadernos.

Preguntar por una palabra:
«¿Cómo se dice...?»

B. *Entre amigos*

— Se ha introducido esta forma impersonal para que el alumno pueda utilizarla en clase.

— La única manera de diferenciar una afirmación de una pregunta en español es por medio de la entonación, pues la estructura de la frase no cambia.

Antes de abrir el libro:

— El profesor hace una pregunta a un estudiante. Este responde y el profesor finge que no entiende o no oye bien: «¿Cómo?» El alumno repite más alto o más claro.

— El profesor muestra varios dibujos u objetos y pregunta: «¿Cómo se dice... en francés/inglés/italiano?», etc. (lengua materna de los estudiantes). Los estudiantes responden. A continuación el profesor muestra los mismos objetos/dibujos y pregunta: «¿Cómo se dice... (la palabra en la lengua materna de los estudiantes) en español?». Los estudiantes responden.

— El profesor pide a los estudiantes que escriban en un papel 4 ó 5 palabras españolas que conozcan; da unos ejemplos de palabras muy conocidas (amigo, toro, hospital...). Mientras los estudiantes escriben estas palabras, el profesor va comprobando. A continuación los estudiantes preguntan unos a otros las palabras de sus listas: «¿Cómo se dice...?».

Los estudiantes preguntan al profesor cómo se dicen en español otras 4 ó 5 palabras que les interesen especialmente.

C. Cajón de sastre

Deletrear

Abecedario

— El alfabeto español tiene pocas dificultades, de ahí que normalmente no se deletreen las palabras enteras. Cuando hay problemas con b-v, g-j, h-o, se suele usar la fórmula «se escribe con...». Ejemplo: «Huevo» se escribe con hache.

— Peculiaridad de la ñ, que sólo existe en español.

— Los españoles e hispanoamericanos tienen un nombre y dos apellidos: el primero es el del padre y el segundo, el de la madre, que conservan toda su vida. Las mujeres no adoptan el apellido del marido al casarse. Usualmente, se toma el apellido del marido para hablar de una familia:

    Los Rodríguez, los López

y si no se sabe el nombre de la señora, puede decirse «la señora de Rodríguez», pero éste no es su nombre legal.

Tienes la palabra:

Después de hacer los ejercicios orales, el profesor dice a los estudiantes que van a hacer un dictado o un ejercicio de comprensión auditiva, en el que podrán preguntarle cómo se escriben las palabras que no sepan. Para el dictado se puede escoger partes de los diálogos que se han visto en la unidad. Para la comprensión auditiva puede simularse una situación; los estudiantes tienen que apuntar los siguientes datos de una persona: nombre y apellidos, lugar de residencia, profesión, nacionalidad, lugar de trabajo.

Profesor: «Me llamo Antonio Gutiérrez...»

Estudiantes: «¿Gutiérrez se escribe con una «erre» o con dos «erres»?»

«¿Cómo se escribe «Gutiérrez»?»

Profesor: (responde y continúa) «...Soy de Valencia...»

Un estudiante sale a la pizarra y pregunta a un compañero: «¿Cómo te llamas?» El otro estudiante responde. El primer alumno pide que se lo deletree: «¿Cómo se escribe?», y lo va escribiendo en la pizarra. Sale otro estudiante y se hace lo mismo.

actividades

1.

En parejas, los alumnos miran los dibujos y dicen cuáles creen que son las profesiones de los personajes.

Se pone la cinta por primera vez sin interrupción.

Se pone otra vez parando después de cada frase para que el alumno tenga tiempo de entenderla y relacionarla con el dibujo.

Se vuelve a poner para comprobar las respuestas.

• *Clave:*

Soy médico. Me llamo Juan.
Vivo en Sevilla y soy camarero.
Me llamo María. Soy profesora y trabajo en Madrid.
Vivo en La Coruña y soy enfermera.

2.

Escucha las preguntas del policía. Documento D.N.I.

Clave:

¿Eres de Madrid? SÍ.
¿Vives en Rodríguez Vázquez, 69? NO.
¿Tu padre se llama Luis? NO.
¿Tu madre se llama Amalia? SÍ.
¿Vives en Madrid? SÍ.

3.

Cada estudiante rellena la ficha con sus datos personales. Una vez rellenada, por parejas se preguntan:

—¿Cómo te llamas? Paul Greenbaum.

—¿Cómo se escribe? - G-R-E-E-N-B-A-U-M.
—¿De dónde eres?
—¿Dónde vives?
Si los estudiantes están motivados y desean seguir haciéndose preguntas, el profesor los puede ayudar a que digan sus números de teléfono, profesión, etc.

4. Los estudiantes construyen frases tomando una palabra de cada columna y hacen el mayor número posible de combinaciones formando frases con sentido.
Si se desea que escriban las frases, el estudiante anota en su cuaderno todas las combinaciones y las va diciendo en voz alta.

Clave:

soy { Luis
estudiante
eres { Rosa
andaluza

trabajo { en Madrid

te llamas { Luis
Rosa

me llamo { Luis
Rosa

Banco de datos para
«Descubriendo»

La división de España en Comunidades Autónomas fue reconocida por la Constitución Española de 29 de diciembre de 1978.

En el artículo 2 de la Constitución se dice: «Las provincias limítrofes con características históricas, culturales y económicas comunes, los territorios insulares, y las provincias con entidad regional histórica podrán acceder a su autogobierno y constituirse en Comunidades Autónomas».

Se trata de un proceso de descentralización que permite un mayor desarrollo e independencia de las distintas partes del país. Así, las Comunidades Autónomas tienen sus propias instituciones de Gobierno: una Asamblea o Parlamento, un Consejo de Gobierno y un Presidente. Gozan de competencias para gobernar su propio territorio, por ejemplo, en lo que se refiere a la economía, la educación, la vivienda, etc.

El castellano o español es la lengua oficial de España, pero Cataluña, Galicia y País Vasco tienen, además, su propia lengua: catalán, gallego y euskera respectivamente. Las dos primeras son, como el castellano, lenguas que provienen del latín, el euskera es una lengua muy antigua cuyo origen no se conoce.

Miguel Hernández

Poeta español (nacido en Orihuela, 1910-1942). Detenido al terminar la guerra civil, murió en la cárcel. Fue amigo de Pablo Neruda y de algunos poetas de la Generación del 27. En sus poemas se inspira en Góngora y luego en Garcilaso de la Vega. Sus libros de versos son *Perito en lunas, Viento del pueblo, El rayo que no cesa* y *Cancionero y romancero de ausencias.* Escribió también tres obras de teatro: *Quién te ha visto y quién te ve, El labrador de más aire* y *Los hijos de la piedra,* siendo este último un drama sobre la revolución de Asturias de 1934.

> **Identificación personal (plural)**
> **Demostrativos**
> **Verbos ser, trabajar y estudiar (Presente)**
> **Plural de sustantivos y adjetivos**

¡Te presento a unos amigos!

SUGERENCIAS

Antes de abrir el libro:

— Para repasar lo visto en 1A el profesor pregunta a algunos estudiantes:
  Profesor: «¿Cómo te llamas, dónde vives?...»   Los estudiantes contestan.
A continuación el profesor se dirige a la clase:
  Profesor: «Este/ésta es...»; «vive en ...»
— Para presentar la 1.ª persona del plural, el profesor continúa con los mismos estudiantes.
Piensa en algo que tengan en común algún estudiante y él/ella, y se dirige a la clase: «David y yo vivimos en Nueva York/Roma...» «David y yo somos de Nueva York/Roma...».
Después de trabajar con los diálogos se pueden practicar las distintas formas «este/a/os/as, es/son,» etc. Los estudiantes presentan a sus compañeros y hablan de ellos durante unos minutos, hasta que el profesor compruebe que han asimilado los contenidos.

Tienes la palabra:

Conviene que los datos sean imaginados. De otra forma los estudiantes no tendrían motivación suficiente. Se puede sugerir a los estudiantes que utilicen el vocabulario de profesiones y nacionalidades que aparece. El profesor amplía este vocabulario si algún estudiante lo necesita.

> **Presentación y saludo formal**
> **Uso de tú y usted**

¡Hola! ¿Qué tal? ¿Cómo está usted?

— Fórmulas de presentación y saludo en los dos recursos, formal e informal, bien diferenciados.
— Obsérvese el uso de usted (Ud.) con el verbo en tercera persona.
— En España, el uso de «tú» está extendiéndose a ámbitos en los que hace unos años era impensable. Así, en clase, es usual que los alumnos tuteen al profesor. Ocurre lo mismo en los ambientes laborales. En general, se reserva el «usted» para dirigirse a personas desconocidas, en las calles, en las tiendas...

— En Hispanoamérica, el tratamiento es diferente al de España y varía según los países. Se puede decir que «vosotros» ha sido sustituido por «ustedes».

Problema del voseo: Este fenómeno morfológico se da en Hispanoamérica. Se entiende por «voseo» el uso de «vos» por «tú» en el tratamiento informal. El «voseo» se da en Argentina, Uruguay, Paraguay y gran parte de Centroamérica, mientras que en México, Perú y Bolivia mantienen generalmente el tuteo.

SUGERENCIAS

Los dibujos expresan la diferencia entre una situación informal y una formal. El profesor debe asegurarse de que los alumnos comprendan esto. Si la lengua materna de los alumnos posee formas distintas de pronombres para el tratamiento de cortesía, se señalan las equivalencias.

Después de trabajar con los diálogos, el profesor hace una ronda de preguntas para comprobar si los estudiantes han asimilado los contenidos: «¿Cómo está usted?». «¿Eres estudiante?», etc.

C. Cajón de sastre

Números del 0 al 9

Tienes la palabra:

Para ampliar la práctica de números: juego de «los chinos». En grupos de tres, cada jugador usa tres monedas u otros objetos. Sin que los otros jugadores lo vean (las manos a la espalda), mete 1, 2, 3 o ninguna moneda en su mano derecha, la cierra y la pone delante de sí (para que nadie haga trampa). Por turno, cada jugador dice un número, tratando de adivinar cuántas monedas hay entre los tres (máximo, 9; mínimo, 0).Nadie puede repetir un número ya dicho por el jugador anterior. Cuando el tercer jugador dice un número, los 3 extienden la mano y se cuentan las monedas. Este juego es muy popular en España. Suele jugarse para decidir quién tiene que pagar las consumiciones (en un bar, por ejemplo).

actividades

1.

Los alumnos leen las preguntas que tienen que contestar. El profesor lee el texto muy despacio. Los alumnos subrayan las palabras que quieren aprender o que necesitan para responder las preguntas.

A continuación, en parejas, uno hace las preguntas al otro que, con el libro cerrado, intenta responder de memoria. Su compañero le dice si contesta bien o no.

Clave:

1. Se llama Felisa.
2. Es de Valencia.
3. Estudia inglés.
4. Es interesante pero duro.
5. Descansa y lee mucho.

2. **Dalí:** (Unidad 10 en Descubriendo).
C. J. Cela

Iria-Flavia (La Coruña) 1916. Novelista español. En 1942 publicó su primera novela: «La familia de Pascual Duarte», que fue una auténtica revelación. Su obra es muy extensa. Entre otras novelas, ha publicado: «La colmena», «San Camilo 1936», «Nuevas andanzas y desventuras de Lazarillo de Tormes», «Mazurca para dos muertos»... Es, además, autor de libros de viajes («Viaje a La Alcarria») y cuentos. Es académico de la Real Academia de la Lengua Española. En 1989 recibió el premio Nobel de Literatura.

M. Vargas Llosa

Arequipa (Perú) 1936. Novelista peruano, una de las figuras más importantes de la literatura hispanoamericana. Autor entre otras novelas de «Conversación en la catedral», «La guerra del fin del mundo», «Historia de Mayta». Actualmente vive en Lima y dirige un partido político.

Los alumnos miran las fotos. El profesor pregunta si conocen a estas personas, de dónde son, a qué se dedican, etc.
Toda la clase participa diciendo lo que sabe de cada uno de ellos. Los dos últimos son personas desconocidas. Cualquier respuesta es aceptable. La clase puede inventar su nacionalidad, profesión, etc.
Las fotos son de Salvador Dalí, Camilo José Cela, Vargas Llosa y dos personas desconocidas.

3.

— *¿Tú, por aquí?* se emplea para expresar sorpresa.
— *Estar de paso* (por una ciudad) significa no vivir allí, sino pasar sólo unos días.
Se les dice a los estudiantes que van a escuchar una conversación entre tres personas y que tienen que rellenar las casillas aunque puede que no tengan datos para rellenarlas todas.
Se pone la cinta sin interrupción.
Se pone otra vez parándola para que el alumno tenga tiempo de escribir la información que se le pide.
Se pone una tercera vez o alguna más si hace falta para que se comprueben sus respuestas.

Clave:

nombre	profesión	De dónde es	n.º teléfono	vive en...
Juanjo	médico	sevillano	—	Barcelona
María	arquitecto	sevillana	248 23 55	Madrid
Luis	—	madrileño	44 56 73	Valencia

Transcripción del diálogo:

En una calle, en Madrid, Luis se encuentra con María y Juanjo.
Luis.—¡Hola, María!, ¿tú por aquí?, ¿qué hace una sevillana en Madrid?
María.—Ahora vivo aquí, trabajo en la construcción de la estación de autobuses.
Luis.—¡Qué suerte tenéis los arquitectos! Yo soy madrileño, pero no vivo en Madrid, vivo en Valencia.
María.—¡Hay demasiados arquitectos en la capital! Mira, este es Juanjo.
Luis.—Hola, encantado. ¿Trabajas con María?
Juanjo.—No, soy médico. Estoy de paso en Madrid. Soy sevillano, pero vivo en Barcelona.
Luis.—Me alegro de veros. Ahora tengo que irme, pero apunta mi número de teléfono, es el 44 56 73.
María.—Apunta tú también el mío, es el 248 23 55.

4.

— *Amigo por correspondencia:* Se trata de una persona con la que se ha entablado amistad por carta y a la que no se conoce personalmente.

Banco de datos para

«Descubriendo»

Países ribereños del Caribe.

Entre estos países hay numerosos puntos en común. Su forma institucional es la República.
En todos ellos la lengua oficial es el español, pero se hablan, además, numerosas lenguas indígenas. La religión es la católica. La población es muy variada. En Costa Rica predomina la población blanca; en Venezuela y Colombia también, excepto en la Costa del Caribe, donde abundan los negros y mestizos, y una parte más pequeña de la población está constituida por negros, indios y mulatos.
Son países fundamentalmente agrícolas. Debido al clima caluroso y húmedo, hay gran cantidad de cultivos tropicales: café, bananas, caña de azúcar, maíz, arroz, tabaco, etc.
En el caso de Venezuela, su economía está basada en el petróleo; es el sexto país productor del mundo. Por su parte, Colombia es el segundo país productor mundial de café, aunque en estos últimos años el comercio ilegal de marihuana y cocaína supera el total de ventas de café en un alto porcentaje.
Todos estos países poseen extraordinarias bellezas naturales. Además, cuentan con importantes restos arquitectónicos de su pasado colonial español, junto con los restos precolombinos.

Ubicación de objetos
Artículos determinados
Léxico de la casa
Preguntar y contestar cantidades
Presente estar y tener

A. *Buscamos un piso*

Es importante destacar la oposición *estar + marcador de lugar/ ser + adjetivo calificativo*.
— «No está mal» significa que «bueno, no me gusta mucho, pero tampoco me parece mal del todo».
— Los nombres que aparecen en la frase con el verbo *«estar»* están determinados por un artículo determinado o por un posesivo, nunca por un artículo indeterminado:

Las| llaves están en esa mesa.
mis|

¿Dónde está |tu coche?
            |el

SUGERENCIAS

Antes de abrir el libro:

Para presentar el uso de «¿Dónde está...? Está...» y marcadores de lugar, el profesor describe la situación de algunos objetos de la clase, o simplemente con una moneda en la mano pide a los estudiantes que adivinen si está «a la izquierda/derecha» o incluso «encima/debajo» (colocando una mano encima de la otra). También se pueden esconder objetos de la clase. El profesor o algún estudiante los busca y los demás lo dirigen diciendo «a la izquierda, detrás de...», etc.

Descripción de objetos

B. *La casa de Sergio*

— Obsérvese en todo momento la concordancia de género y número entre nombre y adjetivo:

edificio antiguo
casa cómoda
calle tranquila

SUGERENCIAS

Antes de abrir el libro:

Para recordar el uso de «estar» en «¿Dónde está...?», el profesor hace preguntas a los estudiantes antes de trabajar con el texto de presentación, en el que señalará la diferencia con el uso de «ser» descriptivo.

Cajón de sastre

Números cardinales del 11 al 20
Números ordinales hasta 10

— Los números ordinales tienen forma femenina cuando acompañan a un sustantivo femenino:

«tercera parada»
«planta primera»

— «Primero» y «tercero» apocopan en «primer» y «tercer» cuando van delante de un sustantivo masculino singular:

«Vivo en el tercer piso.»

— La palabra «piso» tiene dos significados. Se refiere, por una parte, a la vivienda, y, por otra, equivale a planta.
— La palabra «planta» se utiliza normalmente en los edificios públicos, escuelas o grandes almacenes:

«Mi piso es pequeño.»
«Vivo en el cuarto piso.»
«Mi clase está en la segunda planta.»

— En las ciudades españolas, en los edificios de varios pisos, cada vivienda suele enumerarse por el piso y la puerta:

«Primer piso, segunda puerta.»
«Primer piso, puerta A.»
«Primer piso, puerta izquierda.»

actividades

1.

Se puede empezar repasando todo el vocabulario de muebles y objetos que aparezcan en las habitaciones. Luego los alumnos miran los dibujos detenidamente y se fijan en las diferencias que hay entre las dos habitaciones. En parejas las van describiendo según el ejemplo:

En el dibujo A, la mesa es grande. En el dibujo B, la mesa es pequeña. Por último, se puede hacer un juego muy sencillo en clase que consiste en dar una serie de datos sobre la ubicación de un objeto y el resto de la clase tiene que adivinar de qué objeto se trata. Por ejemplo: «Está a la derecha, al lado de..., es grande», etc. «¿Qué es?»

Este juego lo puede hacer el profesor o alumno que tenga un poco más de vocabulario que los demás. De esta forma, se puede enseñar cierto vocabulario básico de clase como por ejemplo: pizarra, lápiz, bolígrafo, libreta, etc.

Clave:

1. En el dibujo A, el sillón está debajo de la ventana.
1. En el dibujo B, el sillón está a la derecha del sofá.
2. En el dibujo A, la mesa es grande.
2. En el dibujo B, la mesa es pequeña.
3. En el dibujo A, la radio es antigua.
3. En el dibujo B, la radio es moderna.
4. En el dibujo A, el teléfono está en la estantería.
4. En el dibujo B, el teléfono está en la mesita.
5. En el dibujo A, la silla es cómoda.
5. En el dibujo B, la silla es incómoda.
6. En el dibujo A, el sofá es feo.
6. En el dibujo B, el sofá es bonito.
7. En el dibujo A, la lámpara está en el suelo.
7. En el dibujo B, la lámpara está detrás del teléfono.

3.

— *Pegado a la pared:* Forma coloquial de decir «junto a la pared», muy arrimado.
Se estudia bien el plano, las habitaciones y su distribución. Se leen y explican si hacen falta los muebles y aparatos que se van a colocar en la casa.
Se pone la cinta sin interrupción.
Se pone otra vez parando después de cada frase en la que se dé la información necesaria. Si los estudiantes aún no han podido ubicar los muebles, el profesor los ayuda repitiendo dónde está situada cada cosa.

Transcripción

— Señora, aquí están los muebles. ¿Dónde los ponemos?

— A ver... la mesa con las tres sillas, en la cocina, al lado de la puerta (a la derecha). El sofá y los sillones, en el salón. El sofá, al fondo, pegado a la pared y los sillones a la izquierda del sofá, debajo de la ventana.

— ¿Y la estantería?

— En el salón también, enfrente de la ventana.

— Y la lavadora ¿la ponemos en la cocina?

— ¡Sí, claro!, al lado del fregadero.

— Vale. ¿Y qué hacemos con las camas?

— La cama de matrimonio, en el dormitorio grande, al fondo del pasillo a la derecha. La cama pequeña, en la habitación de al lado, enfrente del salón. ¡Ah! y los cuadros...

— Bueno, bueno... colocamos esto primero y luego seguimos.

4.

El profesor lee los apellidos españoles y hace que los estudiantes los lean también y los repitan. Pregunta ¿en qué piso vives tú, Peter?, ¿y tú, Lucy?

Se repasan los ordinales y se explican las abreviaturas de derecha (dcha.) e izquierda (izda).

Aunque en los buzones de cartas aparece el piso escrito con números, en este ejercicio se puede pedir a los estudiantes que los escriban con letra.

Clave:

A. ¿Los señores Martínez, por favor?   B. Primero izquierda.
A. ¿Los señores Monteviejo, por favor?   B. Octavo B.
A. ¿Los señores Oquendo, por favor?   B. Cuarto derecha.
A. ¿Los señores Alarcón, por favor?   B. Quinto C.
A. ¿Los señores Gómez, por favor?   B. Séptimo A.

Banco de datos para

«Descubriendo»

Diversos tipos de viviendas en España

Pío Baroja.—Novelista español (San Sebastián, 1872-Madrid 1956). Médico, ejerció esta profesión durante poco tiempo. Miembro de la Real Academia Española, perteneció a la llamada Generación del 98. Escribió numerosas novelas con un estilo natural y sencillo. Caben destacar «El árbol de la ciencia», «Zalacaín el aventurero», «Memorias de un hombre de acción». Al final de su vida escribió sus memorias bajo el título «Desde la última vuelta del camino».

Eduardo Galeano.—Escritor uruguayo nacido en Montevideo, en 1920. Colaborador de la revista *Mancha*. Preocupado por la problemática de su tierra, hace patente esta preocupación en sus novelas «Las venas abiertas de América Latina», «Crónicas latinoamericanas», «Días y noches de amor y de guerra».

> **Contactar con alguien**
> **Preguntar por una dirección**
> **Ubicación de establecimientos**
> **Hay un, una...**
> **Léxico de establecimientos públicos**
> **Artículos**
> **Verbos seguir y coger**

Hay una farmacia cerca

En las frases en las que aparece «hay» el sustantivo puede ir determinado por un artículo indeterminado, un indefinido o nada, pero nunca por un artículo determinado:
«¿Dónde hay un estanco? / ¿Dónde está el estanco?»
En el primer caso, el hablante no sabe si hay o no un estanco y pregunta por su existencia. En el segundo caso, el hablante está seguro de que hay un estanco y pregunta por su ubicación.
Obsérvese «¿Cómo se va?». Es una frase impersonal que deben fijar tal cual.
Los verbos están en presente, con valor de imperativo, en registro informal.
En un estanco se venden sellos, postales, sobres, papel de cartas y tabaco.

SUGERENCIAS

Antes de abrir el libro:

Para repasar «HAY»: repasando el vocabulario de la unidad 3, el profesor muestra una foto o dibujo de varias habitaciones con muebles:
—Prof.: «En esta habitación HAY un sofá, una mesa, dos sillas...»
Nombres de establecimientos y lugares de interés. Después de presentar los nombres con los dibujos, el profesor muestra objetos relacionados con algún establecimiento, por ejemplo, sellos, cigarrillos (estanco); lata de conservas, comida (supermercado); vendaje, una radiografía (hospital); guía, libro de arte (museo); entrada de cine o cartelera (cine); dinero (banco); sobre con sello puesto, paquete (correos); pasaporte (comisaría). El profesor muestra uno de los objetos y pregunta: «¿De dónde VENGO?/¿A dónde VOY?/¿Dónde estoy?».

> **Dar instrucciones para llegar a un lugar**
> **en distintos medios de transporte**
> **Verbos IR, VENIR (Presente)**

Cómo voy a tu casa

Registro informal, con tú. Verbos en Presente con valor de imperativo.

Antes de abrir el libro:

Para presentar IR y VENIR (si no se han presentado ya con «¿De dónde vengo?/¿A dónde voy?»): El profesor llama a un alumno: «Ana, VEN, por favor». Cuando el alumno se levanta y se acerca, el profesor dice: «Ana VIENE». Para presentar IR, el profesor da más instrucciones (ve a la puerta, al rincón, etc.) y dice: «Ana VA a la puerta». Luego el profesor se dirige a algún punto determinado del aula: «Voy a ...»: «Vengo de...».

Cajón de sastre

> ## La hora
> ## Los horarios
> ## Números (II)

¿Qué hora es?

En las estaciones, aeropuertos y medios de comunicación (prensa, televisión etc.), la hora aparece escrita en digital (las 3,45), pero los hablantes suelen traducir: «las cuatro menos cuarto».
Además, para distinguir si hablamos de las 7 h. o las 19 h.:
«las siete de la mañana»
«las siete de la tarde»

Después de presentar la hora, y mientras los estudiantes se dedican a otras actividades, el profesor les interrumpe cada 15 ó 20 minutos y pregunta la hora. Los alumnos miran su reloj y contestan rápidamente o intentan adivinar qué hora es exactamente. Esto debe repetirse en días sucesivos para consolidar.

Tienes la palabra:

En España, los horarios de los BANCOS son muy variables. En general, abren a las 8.30 h. y cierran a las 14 h.
Los GRANDES ALMACENES y los HIPERMERCADOS suelen tener «horario continuado», es decir, desde las 10 h. hasta las 20 h.
Los MUSEOS abren a las 9 h. o 10 h. y cierran a las 19 h.

actividades

1.

■ En parejas los alumnos se cuentan dónde viven, el tipo de barrio, etc., e intercambian opiniones.
Ejemplo: —«Yo vivo en el centro. En la calle Goya, al lado de la estación de metro. ¿Y tú, donde vives? —Muy cerca. En la calle Serrano, enfrente del Banco Español de Crédito,» etc.

2.

■ Durante unos minutos se mira el plano del metro de Ciudad de México y se observan sus líneas. El profesor lee los nombres de algunas estaciones y sobre todo las de aquellas que aparecen en el ejercicio. Para empezar pregunta a algún alumno cómo se va de una estación a otra siguiendo el ejemplo. Después en parejas los alumnos hacen el ejercicio.

Clave:
De Chilpancingo a Zócalo.—Coges la línea 9 hasta Chabacano. Allí cambias, coges la línea 2 y te bajas en la tercera estación.
De Misterios a Moctezuma.—Coges la línea 5 hasta Consulado. Allí cambias y coges la línea 4 hasta Candelaria. Allí cambias otra vez, coges la línea 1 y te bajas en la segunda estación.
De Lázaro Cárdenas a Morelos.—Coges la línea 9 hasta Jamaica. Allí cambias, coges la línea 4 y te bajas en la tercera estación.

3.

■ El profesor lee la programación de televisión y el alumno completará las horas que faltan una vez oída la grabación.

Clave:

7,45 Carta de ajuste.
7,59 Apertura.
8,00 Buenos días. Dirección: Pedro Piqueras. El programa incluye: Gimnasia. Dibujos animados.
9,00 Por la mañana. Dirección y presentación: Jesús Hermida.
13,00 El pájaro loco. «Os pido posada».
13,30 3 x 4. Programa concurso, desde Barcelona.
14,30 Informativos territoriales.
14,55 Conexión con la programación nacional.
15,00 Telediario 1.

Transcripción:

Programación del lunes, 19 de junio.
A las ocho de la mañana comienza la emisión con el programa «Buenos días».
A las nueve podrán ustedes ver «Por la mañana», programa dirigido por Jesús Hermida. Posteriormente, a la una de la tarde, «El pájaro loco», dibujos animados.
Desde Barcelona, a la una y media, programa concurso 3 x 4. A las dos y media, informativos territoriales, programas emitidos desde las distintas Comunidades Autónomas. A las tres menos cinco, conexión con la programación nacional. Finalmente, a las tres, «Telediario 1», primera edición de noticias.

Banco de datos para
«Descubriendo»

Sevilla

Sevilla se convirtió en la «mayor y más importante ciudad de España» en el siglo VIII, bajo la dominación de los árabes. De esta época data la construcción de la Giralda, uno de los monumentos españoles más populares. Su mirador tiene noventa y tres metros de altura.

La Catedral de Sevilla es el mayor templo español y el tercero del mundo católico. Es de estilo gótico y en él se encuentran una valiosa pinacoteca, valiosas tallas y figuras de orfebrerías, vidrieras y el sepulcro de Cristóbal Colón. El Barrio de Santa Cruz es el antiguo barrio judío. Se caracteriza por sus calles estrechas y plazuelas llenas de luz y de flores de mil colores.

El Alcázar fue construido por los musulmanes. Su fachada principal constituye una de las más bellas muestras del arte mudéjar en España. Posteriormente fue destruido y reconstruido por diferentes reyes españoles, entre ellos los Reyes Católicos, por lo que cuenta con rasgos góticos y renacentistas.

El Archivo de Indias.—Contiene numerosos documentos referentes al descubrimiento y posterior conquista de América. Es de estilo renacentista.

También hay que ver en Sevilla la Torre del Oro, a orillas del río Guadalquivir, construida también por los almohades, a principios del siglo XIII y el hospital de la Caridad, de estilo barroco, que cuenta con una extraordinaria pinacoteca.

En Sevilla, en la primavera, se dan cita dos acontecimientos culturales y festivos importantes: la Semana Santa y la Feria.

En la Semana Santa, las procesiones constituyen un espectáculo inolvidable y tienen renombre universal. Datan de 1520 y en ellas se exhiben tallas (esculturas religiosas) de gran valor artístico y esplendor.

En la Feria hay un colorido indescriptible. Los sevillanos y sevillanas se visten con el traje típico y desfilan por las calles montados a caballo o en carrozas. En la feria propiamente dicha se montan cientos de casetas, a las que la gente acude a beber y bailar sevillanas.

Gastronomía.—Los platos más típicos de la cocina sevillana son el gazpacho y el cocido andaluz. Además, los sevillanos son muy aficionados a las tapas y al «chateo» (tomar «chatos» —vaso para vino, bajo y ancho, que se usa en las tabernas y bares).

> **Quiero + Infinitivo**
> **Imperativo formal**
> **Léxico de comidas y bebidas**

A. *A comer*

— En todos los bares españoles sirven «tapas», que son pequeñas cantidades de comida variada para acompañar la bebida. También se puede pedir un bocadillo.

— Los horarios de comida españoles suelen diferir del resto de Europa. El desayuno se toma sobre las ocho y se compone de café con leche y algo dulce: churros, magdalenas. La comida suele ser a las dos y se compone generalmente de dos platos y postre. Luego, a las cinco, se merienda (sobre todo los niños). La cena se suele tomar a las nueve o las diez. Antes de la comida de mediodía, se suele tomar alguna tapa en el bar.

SUGERENCIAS

Antes de abrir el libro:

El profesor pide a seis estudiantes que representen con mímica unos papeles muy sencillos. Reparte entre ellos hojas con instrucciones exactas de cada papel de los que aparecen en los diálogos de presentación (camarero de bar, Ana, Fernando, camarero de restaurante, Moncho y Mar). Los seis alumnos estudian brevemente sus papeles. Los tres primeros «actores» salen a la pizarra y representan la 1.ª escena (en el bar). El profesor pregunta a la clase si puede identificar qué están haciendo y qué gestos les han ayudado a identificar la escena. Salen los otros tres actores y se procede de la misma forma.

A continuación el profesor pide a los actores que repitan las escenas muy despacio mientras pone la cinta de los diálogos de presentación. Al final de cada frase se hace una pausa y el actor repite los gestos, pero esta vez repitiendo también las palabras:

Actor uno (hace gestos de llamar al camarero)

cinta: «¡Camarero, por favor!» (profesor detiene la cinta)

Actor uno (repitiendo los gestos) «¡Camarero, por favor!»

y se continúa hasta el final. Lo mismo se hace con el segundo diálogo.

> **Expresar gustos**

B. *Hablando de gustos*

— El verbo GUSTAR tiene una conjugación diferente a la de los verbos que hemos visto hasta ahora. Por su peculiaridad, es importante que quede bien fijada desde el principio.

— Sólo se presentan las tres primeras personas por ser las de mayor rendimiento.

Antes de abrir el libro:

El profesor muestra fotos de objetos, monumentos, personas, etc y pregunta: «¿Es bonito/a este/a...? ¿Es guapo/a este/a...?» Los estudiantes responden. Según sea la respuesta, el prof. dice: «*Ah, te gusta/no te gusta.*»
— El profesor muestra pares de objetos/fotos y, señalando uno de cada par, dice: «A mí me gusta este/a...» y pregunta a un alumno «¿Y a ti?» El estudiante responde: «Sí, a mí me gusta/ no, a mí no me gusta».

C. Cajón de Sastre

¿Puede/s + Infinitivo? Imperativo informal

¡Qué lío!

— El Imperativo con «tú» es muy directo, se utiliza en situaciones informales, por ejemplo, para dirigirse a los niños en casa y en la escuela.
— La forma «¿puedes + Infinitivo?» es la más usual en el ámbito laboral.

Antes de abrir el libro:

El profesor da alguna instrucción muy sencilla acompañada con gestos claros:
¿Puedes cerrar/abrir la ventana/puerta, por favor?
¡Cierra/abre la ventana/puerta, por favor!

Tienes la palabra:

Para practicar los imperativos y la forma «¿puedes? + Infinitivo», el profesor escribe en la pizarra los imperativos de los verbos utilizados en la U. 4 para orientar.
Los alumnos repiten la actividad de preguntar por un establecimiento y orientar, pero utilizando los imperativos:
Al1: Perdone,¿hay un (a)... cerca, por favor?
Al2: Sí, hay uno/a en la calle...
Al1: ¿Puede decirme cómo se va, por favor?
Al2: Sí, claro. Siga, tuerza, atraviese...

actividades

 **1.**

— *Yo de primero..., Yo también..., Mamá, yo...*
Cuando hay un grupo de personas y estas manifiestan un deseo o una opinión, cada una de ellas empieza a hablar usando el pronombre de 1.ª persona.
— *Dos de judías y una de entremeses:*
Generalmente, como sucede en el texto, se suele omitir «platos» o«raciones», porque se sobreentiende «dos platos o raciones de judías o una ración de entremeses».
— *No te sienta bien:*
En este caso se refiere a la comida, es como decir «no te sienta bien al estómago». También se usa para hablar de la salud como sinónimo de «encontrarse bien o mal», por ejemplo: Hoy me siento mal.
En otros contextos significa «no te queda bien», por ejemplo: «ese vestido o ese peinado». En sentido figurado cuando algo nos molesta también podemos usar este verbo en expresiones como «no me ha sentado bien lo que me ha dicho».
—*No quedan.*
Significa «había pero se han terminado.»
—*Vino de la casa.*
Vino común, sin marca, que suelen tener muchos restaurantes.

Clave:

CASA PACO
2 judías verdes.
1 entremeses.
1 merluza romana.
1 trucha al horno.
1 filete ternera/patatas.
2 helados chocolate.
1 pera.
vino.
agua.

Transcripción:

Camarero: ¡Buenos días! ¿Qué van a comer?
Padre: ¡Hola, buenos días! Yo de primero judías verdes. ¿Y tú, Carmen?
Madre: Yo también judías.
Niño: Mamá, yo quiero entremeses.
Camarero: Bien, entonces dos de judías y una de entremeses. ¿Y de segundo?
Padre: Para mí, salmón.
Madre: Antonio, sabes que el salmón no te sienta bien. ¿Por qué no tomas merluza o trucha?
Padre: Bueno, pues una trucha al horno. ¿Y tú, Jorge, qué quieres?
Niño: Chuletas de cordero con patatas fritas.

Camarero: Chuletas, no quedan.
Niño: Pues filete de ternera con patatas fritas.
Madre: Y yo, merluza a la romana.
Camarero: Y de beber, ¿qué desean?
Padre: Vino, ¿no, Carmen? Sí , una botella de vino de la casa. Y agua.

Camarero: ¿De postre desean tomar algo?
Niño: Yo, helado de chocolate.
Madre: Yo también helado.
Camarero: ¿Y el señor?
Padre: Pues no sé... una naranja... No, mejor una pera.

2.

En grupos de cinco o seis. Cada alumno escribe una cosa que le gusta hacer, afición, etc. Se mezclan los papeles y por turnos empiezan a adivinar de quién es cada papel preguntando: Helmut, ¿a ti te gusta jugar al tenis?
— Sí, me gusta .
— No me gusta.
El que acabe primero de adivinar los gustos de sus compañeros y de completar el cuadro habrá ganado.

3.

Los alumnos hablan de los gustos de estas personas basándose en las fotografías y en la profesión de los mismos.

Pronunciación:

Clave:

— Leche, vino, carta, fruto.
— Coger, café, aquí, jamón.

Banco de datos para

«Descubriendo»

Alimentos de Andalucía: Andalucía es la primera comunidad productora de aceite y aceitunas de España. Además, en las zonas costeras abundan los pescados y mariscos. Son famosos el jamón de Jabugo y los vinos de Jerez, Montilla y Málaga.
Mercado: Edificios donde hay puestos dedicados a la venta de toda clase de productos comestibles frescos como verduras, frutas, carnes y pescados.
Pero también existe la costumbre, en España e Hispanoamérica de instalar puestos en la calle donde se venden toda clase de artículos, sobre todo, fruta, verdura y ropa. Se les llama «mercadillo».
La paella: Es el plato español más conocido fuera de España. Típico de la región valenciana, se prepara a base de arroz con ingredientes muy variados: carne, mariscos, legumbres, etc.

**Descripción de personas
SER + Adjetivo
La edad**

 *¿Cómo es?*

SUGERENCIAS

Después de presentar un vocabulario básico y trabajar con el diálogo, el profesor muestra una foto grande (por ejemplo, de una revista) de una persona muy conocida.
Profesor: «¿Cómo es...?»   Estudiantes responden.
Mostrando fotos de personas conocidas, el profesor hace las preguntas del cuadro:
—«¿Es moreno/a o rubio/a?»
—Respuesta:

**Hábitos
Verbos reflexivos
Días de la semana**

 ¿Qué hace?

SUGERENCIAS

Se introducen los verbos reflexivos, muy importantes para hablar de hábitos.
Para reconocerlos, obsérvese que los verbos reflexivos llevan el pronombre SE en el infinitivo: ACOSTARSE, LAVARSE, LEVANTARSE... Sin embargo, estos mismos verbos pueden no ser reflexivos cuando la acción verbal recae en otra persona:
Yo me levanto a las 7.   (LEVANTARSE)
Yo levanto a los niños a las 8.   (LEVANTAR).
Para practicar los verbos de esta sección, el profesor pide a los alumnos que adivinen su horario diario.
Estudiante: «¿Te levantas a las 7.30?»   Profesor: «No, me levanto a las 7.00»
Estudiante: «¿Empiezas a trabajar a las 9.00?»   Profesor: «Sí, empiezo...»
A continuación cada alumno escribe una lista de cosas que hace diariamente y a qué horas aproximadamente. Por parejas o en grupos, los estudiantes se hacen preguntas, intentando adivinar a qué hora hacen cada cosa sus compañeros.

Para practicar los días de la semana, el profesor pregunta a los alumnos por su horario académico: «¿Qué clases tenéis los martes? ¿Qué días tenéis español/matemáticas?».

Tienes la palabra

Los oficios incluidos en este ejercicio tienen normalmente horarios muy diferentes, que deben servir de pista para averiguar el oficio de la otra pareja. Los dos miembros de cada pareja tienen el mismo oficio. Así las preguntas se harán en plural y se practicarán las formas verbales correspondientes.

Transcripción

Ensayo por las tardes, los lunes, miércoles y jueves. Los viernes, sábados y domingos toco con mi grupo en una sala de fiestas, por la tarde, claro.
Por las mañanas, doy clase de piano los martes y jueves y voy al gimnasio los lunes, miércoles y viernes. Los domingos voy a comer con la familia, a casa de mis padres. Voy por la mañana y veo a mis hermanos y nos contamos nuestras cosas…
¿Qué días tienes libres para hacer la compra, ir al banco…?
Tengo libres el sábado por la mañana y el martes por la tarde. Normalmente hago la compra los martes.

Cajón de sastre

> **La familia**
> **Los posesivos (I)**

La familia de los Buendía

Gabriel García Márquez, escritor colombiano, perteneciente a la corriente llamada «realismo mágico». Premio Nobel de Literatura en 1982. Entre sus obras más conocidas están «Cien años de soledad», «El coronel no tiene quien le escriba», «El amor en los tiempos del cólera», «El otoño del patriarca»…
Es, además, un escritor comprometido con la problemática social de los países hispanoamericanos.
Después de presentar el vocabulario de la familia, el profesor escoge una familia muy conocida (la de un programa de T.V., una película famosa, novela, la familia de algún (a) artista, una casa real, etc) y la describe, con ayuda de los alumnos. A continuación los alumnos describen otra familia famosa.

actividades

1.

El profesor ayuda a los alumnos a entender la encuesta, aclarando cualquier duda y comentando los datos.

Los alumnos subrayan los datos que les parecen más interesantes, y con ayuda del profesor sacan algunas conclusiones y las escriben en la pizarra.

2.

Este ejercicio puede salir muy bien si la clase es abierta y no tiene inconveniente en traerse fotos de su familia, amigos, etc., y hablar de ellos. Es divertido y pueden llegar a conocerse mejor.

En su defecto, el profesor puede traer fotos de personajes y familias conocidas de la vida pública y pedir a los alumnos que los describan, digan quién son, etc.

3.

—«Usted es viuda, ¿*verdad?*»

Se suele emplear ¿*verdad*? al final de la frase para indicar que se espera una respuesta afirmativa; aunque no siempre es así. «Así que tiene usted dos hijos ¿verdad? No...»

—Ser muy *mayor.*

Mayor aquí significa persona de edad avanzada. «Viejo» y «anciano» son sinónimos pero el primero usado para personas es despectivo, y el segundo se emplea en un registro culto, no en la lengua coloquial.

Hijo *mayor* es el hijo de más edad, aunque este sea pequeño. Ejemplo: Mi hijo mayor tiene tres años.

Mayor finalmente es el comparativo de grande.

SUGERENCIAS

— Si lo desea, el profesor comienza hablando de él, por ejemplo: estoy casado, tengo tres hijos, etc. Y a continuación pregunta a los alumnos si están casados, si tienen hermanos, qué edad tienen, si viven con sus padres, etc.

— Los alumnos leen las frases a las que deben contestar V (verdadero) o F (falso).

— Escuchan la cinta un par de veces y contestan.

Transcripción

P.—Pedro, ¿estás casado?

R.—Sí, y tengo dos hijos: Mónica tiene 6 años y Sergio 3.

Mi mujer trabaja en una agencia de publicidad y yo en un laboratorio. Vivimos en un chalet adosado en Aravaca.

P.—¿Y tú, Laura? ¿Con quién vives?

R.—Yo vivo con mis padres, no estoy casada. Mis padres tienen una tienda de artículos deportivos. Tengo un hermano que estudia arquitectura, pero no vive en casa.

P.—José Luis, ¿Tú tienes hijos?

R.—Tengo uno. Se llama Fernando y tiene doce años. Yo estoy divorciado. Ahora vivo solo en un apartamento en el centro. Veo a mi hijo los fines de semana.

P.—Elvira, usted es viuda, ¿verdad?

R.—Sí, soy viuda. Soy muy mayor. Tengo ya 75 años. Tengo cuatro nietos. Dos son de mi hija Isabel, la mayor, y los otros dos de Carlos, el pequeño.

P.—Bueno, «el pequeño» ¿Cuántos años tiene?

R.—Ja, ja, pues tiene 43, pero para mí todavía es «el pequeño».

P.—Así que tiene usted dos hijos, ¿verdad?

R.—No tres, la segunda se llama M.ª Jesús. Es soltera.

Clave:

1 V / 2 F / 3 F / 4 F / 5 V / 6 F / 7 F / 8 V / 9 F / 10 V / 11 F /

Pronunciación:

Transcripción:
1. ¿Cómo quiere los pantalones?
2. Como pan todos los días.
3. ¿Qué tal está tu hermano?
4. ¿Por qué no vienes a casa?
5. ¡Qué cansado estoy hoy!

Banco de datos para

«Descubriendo»

La vida familiar

En España e Hispanoamérica aún existe una gran cohesión entre los miembros de la familia.
Aparte de la boda, hay otras celebraciones importantes que son motivo de reunión de todos los miembros de la familia: el Bautizo y la Primera Comunión son fiestas a las que acuden todos los parientes y muchos amigos. Después de la ceremonia religiosa, todos van a comer y a beber juntos y la fiesta se prolonga varias horas.
Las Navidades, los cumpleaños de los niños, de los hermanos, son ocasiones en las que la familia se reúne. Los hijos viven, en su mayoría, en casa de sus padres hasta que se casan, y aun después de casarse, cuentan a veces con la ayuda de los padres.

> ## Colores y materiales. El Precio.
> ## Pronombres átonos de O. D. (3.ª persona)
> ## Léxico de ropa

A. *Vamos de compras*

— Obsérvese la concordancia de nombres y adjetivos de color.
— Para hablar de materiales, atención a la preposición DE.
— El verbo «llevarse (algo)» es reflexivo.
— El verbo «quedar bien/mal» se conjuga igual que GUSTAR:
¿Cómo le quedan los pantalones?

SUGERENCIAS

Antes de abrir el libro:

Para presentar los nombres de prendas de vestir y los colores, el prof. señala algunas prendas
que llevan algunos estudiantes.
Prof: David, me gusta tu camisa amarilla.
Prof: María, tu falda negra es muy bonita.
Prof: ¿Os gusta mi chaqueta marrón?
Los estudiantes miran la viñeta e identifican el lugar y la situación (unos grandes almacenes;
una señora comprando y un dependiente que la atiende). El profesor pone la cinta. A continua-
ción el prof. hace preguntas sobre la situación:
¿Qué desea la señora?
¿Qué talla tiene la señora?
¿Compra algo la señora? ¿ Cómo paga? etc.
Así, en grupos, se reconstruye el diálogo completo.

> ## Llamar la atención, expresar admiración.
> ## Pedir opinión.
> ## Expresar preferencias y justificarlas.
> ## Pedir permiso.

B. *¿Cómo me queda?*

— «Parecer bien/mal» se conjuga igual que GUSTAR.
— Obsérvese que no es necesario que aparezca siempre el sustantivo:
esta roja.
la azul.

SUGERENCIAS

Antes de abrir el libro:

Los estudiantes dibujan una prenda de vestir (dibujo grande). El prof. le pide a un estudiante su dibujo, lo muestra a los demás y exclama: «¡Qué bonito/feo/grande/ancho...!
Repite con otros dibujos. Los muestra y pregunta:
Prof: «Mira este/a pantolón/falda... ¿Qué te parece? ¿Te gusta?» «¿Qué bolso/camisa... te gusta más?». «Yo prefiero esta... ¿Tú, qué camisa prefieres?» Los estudiantes responden.

C. Cajón de sastre

Pesos y medidas

La lista de la compra

— En España hay supermercados y mercados. En los primeros, la mercancía está preparada para llevársela y no es necesario conocer el léxico de pesos y medidas para comprar, pero en los mercados y tiendas pequeñas de barrio sí es importante saber este vocabulario.

Transcripción:

— Ring...
A.—Supermercado «Cada día», ¡diga!
B.—Buenos días, soy José Gómez y vivo en la calle Juan de Austria, número 5. Quiero hacer un pedido.
A.—Buenos días, Sr. Gómez, dígame.
B.—Pues... quería una docena de huevos (1 docena de huevos), 3 latas de atún (3 latas de atún), 200 grs. de queso (200 grs. de queso), 1 bote de aceitunas...
A.—¿Cómo las quiere, verdes o negras?
B.—Verdes, por favor.
A.—Vale, 1 bote de aceitunas verdes. ¿Algo más?
B.—Sí, 2 botellas de leche (2 botellas de leche) y medio kilo de tomates (medio kilo de tomates).
A.—Muy bien, ya está. Esta tarde se lo mandaré todo.

Clave:

Una docena de huevos / 3 latas de atún / 200 grs. de queso / 1 bote de aceitunas /2 botellas de leche / 1/2 kg. de tomates.

Tienes la palabra:

El profesor hace notar a los alumnos que tienen una lista de platos en la pizarra y les pide que elaboren una lista de la compra pensando en algunos de los platos.

Cada pareja elabora una lista y la lee en voz alta. El profesor y los demás estudiantes comentan: «Es mucho/es muy caro/ ¡Qué caro!/¡Qué rico!, etc».

actividades

1.

Las frases son muy corrientes y se pueden oír en cualquier mercado o «mercadillo»: un mercado ambulante que se instala en los barrios periféricos o en los pueblos pequeños. Allí se vende esencialmente fruta, verdura, cerámica y ropa. Se instala al aire libre.
— El pollo, se compra en la pollería, pero en este nivel principiante no interesa especificar tanto. Se incluirá en la carnicería.
— «Un cuarto de...» En la lengua coloquial se omite «kilo». Lo mismo sucede con «medio» (kilo).

SUGERENCIAS

— Se puede empezar repasando el vocabulario de frutas y carnes preguntando a los estudiantes qué fruta les gusta más, qué tipo de carne comen normalmente, etc. Se pasa la grabación una vez. Después, una segunda vez y los alumnos van poniendo una cruz en el casillero correspondiente.
Se hará la misma operación para identificar al vendedor y al cliente.

Clave

A (carnicería) 2, 4, 7 y 8
B (frutería) 1, 3, 5 y 6

Vendedor: 5 y 7
Cliente: 1, 2, 3, 4, 6 y 8

Transcripción

1. ¿Qué precio tienen las manzanas?
2. ¡Pues a mi marido no le gusta nada la cárne de cerdo!

3. Póngame medio kilo de judías verdes.
4. Y a mí un cuarto de chuletas de cordero.
5. ¿Qué les parecen estos melocotones que tengo hoy?
6. ¿A cuánto está el kilo de cebollas?
7. ¡Miren señoras, el pollo! ¡Qué barato!
8. Quiero un kilo de filetes de ternera.

2.

— El verbo de significado contrario a *madrugar* es «trasnochar», aunque también se dice «acostarse tarde».
— *Salir de noche*: siempre significa salir por la noche para ir a una fiesta, cenar en un restaurante, etc.
— *Dormir la siesta:* se dice también «*echar* la siesta».

SUGERENCIAS

Los alumnos observan la encuesta y sacan conclusiones sobre los gustos de los españoles. Si se considera oportuno, éstas se pueden escribir en el cuaderno. También se pueden preguntar entre ellos, las mismas preguntas hechas a los españoles.

Banco de datos para

«Descubriendo»

Objetos típicos

Botijo: Hasta los años 60, en la mitad Sur de España era el medio utilizado para mantener al agua fresca en verano. Actualmente ha quedado como un recuerdo o algo típico.

Paellera: Recipiente para hacer paella, plato original del País Valenciano, que se ha extendido a toda España.

Poncho: Prenda de uso frecuente en los países de Hispanoamérica, de forma rectangular, con un agujero en el centro, por el que se introduce la cabeza. Se usa desde tiempos inmemoriales en los páramos de los Andes.

> **Invitaciones**
> **(Aceptar-Rechazar-Justificarse-Insistir)**
> **¿Quiere/s + Infinitivo?**
> **¿Por qué?**
> **Tener + que + Infinitivo**
> **Pronombres de Objeto Directo**

A. *¿Quieres?*

— Se presentan dos formas para invitar: «quieres + Infinitivo» y verbo en primera persona del plural. Se usan indistintamente.

— Para aludir a las distintas partes del día, se utiliza la preposición POR:

Mañana		la mañana
Ayer	POR	la tarde
El lunes		la noche

— La expresión de obligación con «tener + que + Infinitivo» no ofrece dificultades y es de gran rendimiento.

— Obsérvese la utilización de los pronombres átonos. Generalmente van antepuestos al verbo, pero si éste es un infinitivo, un gerundio o un imperativo, van pospuestos y junto a él.

— El verbo «quedar» en este contexto significa «citarse», y se usa mucho.

   «Quedar» admite todos los complementos de lugar, hora, finalidad, persona... y de la misma manera admite todas las preguntas:

— «¿A qué hora quedamos?»
— «¿Con quién has quedado?»
— «¿Para qué has quedado con Luis?»

SUGERENCIAS

El profesor pide a los estudiantes que hagan propuestas para hacer algo el fin de semana. Empieza dando un ejemplo: Profesor: «¿Vamos al cine? ¿Hacemos una fiesta?»
Los alumnos proponen y otros reaccionan: «De acuerdo / vale / no, yo no puedo».

> **Estar + Gerundio**
> **Presente de oír**

B. *Pero, ¿qué estás haciendo?*

El presente continuo o perífrasis «estar + Gerundio» expresa una acción en el momento de su realización. Se utiliza con los marcadores temporales «ahora», «en este momento».

Antes de abrir el libro:

Para presentar la forma ESTAR + GERUNDIO, el profesor pregunta a los estudiantes por sus padres, hermanos, amigos...

Profesor: «¿Qué hace tu madre/padre...?»
Estudiantes: «Es economista/estudia»
Profesor: «¿Y está trabajando/estudiando ahora? » (en este momento).
Estudiante: responde.

Para practicar más verbos en la forma ESTAR + GERUNDIO, los alumnos van diciendo todos los verbos que recuerdan y el profesor los anota en la pizarra, escribiendo al lado la forma del Gerundio.

Cajón de sastre

> **Meses del año**
> **Fechas**

Días, Meses, Cumpleaños, Horóscopo,...

Para practicar el nuevo vocabulario de los meses, cada alumno dice en voz alta la fecha de su cumpleaños y su signo del horóscopo, y también el cumpleaños y signo de su mujer / marido / amigo / a.

actividades

1.
—*Segunda sesión* (primera, tercera)
En los cines generalmente se proyecta la película tres veces por la tarde. La primera sesión suele ser a las 4 ó 5 horas, la segunda sobre las 8 h., y la tercera sesión de noche a las 10 y media u 11 h.
En los teatros suele haber una o dos sesiones, de tarde y noche.
—*Minicines.*
Aproximadamente desde los años 70 existen esta clase de locales; son cines muy pequeños y confortables.

Pedro Almodóvar, joven e importante director de cine español. Se distingue por su originalidad. Se ha dado a conocer internacionalmente con «Mujeres al borde de un ataque de nervios» propuesta para el Oscar. Otras películas suyas «Qué he hecho para merecer esto», «Matador», etc.

SUGERENCIAS

Antes de oír la cinta, el profesor lee los títulos de las películas anunciadas para que el alumno se familiarice con dichos títulos y cuando los oiga en la cinta los pueda reconocer. Se pone la cinta dos o tres veces.

Clave:

tarde/noche: ir al cine con Charo.
película: «Mujeres al borde de un ataque de nervios».
cine: Madrid.
hora: 10:30.

Transcripción

Charo—¿Qué hacemos esta tarde? ¿Salimos a tomar una copa?
Juan—Hummm. No sé.
Ch.—¿A qué hora terminas el trabajo?
J.—Hoy a las ocho porque tengo que hablar con un cliente.
Ch.—¿Prefieres ir al cine?
J.—¡Vale, estupendo!
Ch.—¿Quieres ver «Las amistades peligrosas»? Es muy buena.
J.—¿Es española?
Ch.—No, creo que es americana o inglesa.
J.—Yo prefiero ver «Mujeres al borde de un ataque de nervios».
Ch.—Sí, sí. Es muy divertida.
J.—¿A qué hora es la segunda sesión?
Ch.—A las ocho y media.
J.—No, es muy pronto. Vamos a la tercera sesión, es a las diez y media.
Ch.—Vale. Entonces nos vemos a las diez y media en la puerta del cine. Es el Madrid. Está enfrente de los minicines.

2. ■ Se le dice al alumno que va a escuchar cinco microdiálogos diferentes. Los alumnos leen las frases, escuchan la cinta un par de veces y contestan V (verdadero) o F (falso).

Clave:

1V/2F/3F/4V/5F

Transcripción:

A.—¿Puedo hablar con María?
B.—Ahora no puede, luego te llama. Está haciendo la cena.
A.—¡Hola Juan!, ¿está tu padre en casa?
B.—Sí, pase, está en el salón leyendo el periódico.
A.—¡Jaime!, ¿estás estudiando?
B.—No, mamá, ahora voy, está terminando la película.
A.—Oye, Juan, ¿terminamos ya?
B.—Espera, sólo nos falta escuchar esta lección.
A.—¿Dónde está Ana? ¿qué hace?
B.—Nada, mujer, está jugando en su habitación.

3

Se repasa la cartelera de espectáculos, con sus cines y películas, teatros y obras. Bajo la denominación de «Varios» aparecen el circo, el museo de cera, el parque de atracciones y el planetario. Los alumnos deben practicar el diálogo con varios compañeros con los que deben quedar para salir en diferentes días de la semana.

Pronunciación

Transcripción

1. ¡Vale! ¡Estupendo!
2. Es muy interesante.
3. ¿Qué quieres tomar?
4. ¡Qué vestido más elegante!
5. ¡Qué bien estás!

Banco de datos para
«Descubriendo»

El ocio en España

Las terrazas.—En España, desde la primavera hasta el otoño los bares y cafeterías sacan sus mesas y sillas a la calle y la gente se sienta para tomar un refresco, una copa o comer algo. Suelen estar abiertas hasta la madrugada y en ellas hay una gran animación.

Derecho a una consumición.—En las discotecas el precio de la entrada suele incluir el derecho a tomar una copa. Las siguientes hay que pagarlas.

Día del espectador.—En cines y teatros hay un día, generalmente el miércoles, en el que la entrada cuesta la mitad.

Fiestas españolas

— 6 de enero: Fiesta de los Reyes Magos. Los niños españoles reciben ese día sus juguetes que fueron depositados en el salón de su casa. Cada miembro de la familia deja un zapato para que los Reyes «sepan» en qué lugar deben dejar los regalos de cada uno. La noche del 5 al 6 de enero es la «noche mágica».

- 1 de mayo: Día del trabajo.
- 12 de octubre: Fiesta Nacional de España. Descubrimiento de América por Colón.
- 6 de diciembre: Día de la Constitución Española.
- 31 de diciembre: Noche Vieja.
- 1 de enero: Año Nuevo. Se comen 12 uvas al ritmo de las campanadas de medianoche.
— 25 de diciembre: Navidad.
— 15 de agosto: Asunción de la Virgen.
— 1 de noviembre: Todos los Santos.
— 8 de diciembre: Fiesta de la Virgen Inmaculada Concepción.
— 25 de julio: Santiago Apóstol.
- fiestas cívicas.
— fiestas religiosas.
Cada comunidad tiene un día de fiesta al año. Así, el 2 de mayo es la fiesta de la Comunidad de Madrid.

Ir + a + Infinitivo
Irse

¡Qué calor!

— La perífrasis «ir+ a + Infinitivo» tiene más valor intencional que de futuro.
— «Me voy al agua»: aparece aquí el verbo IRSE, muy utilizado en español. Indica alejamiento, partida del lugar en que se está, mientras que IR significa exclusivamente movimiento.
— (IRSE incluiría en su estructura profunda la preposición DE)
1. A: «!Hola María! ¿Qué tal?»
   B: «Bien, voy a casa de Alvaro.»
2. A: «¡Luis !, me voy a casa de Alvaro. ¡Hasta luego!»
— Obsérvese la expresión «dentro de...» para el futuro.

SUGERENCIAS

Antes de abrir el libro:

Para presentar el uso de IR A+ Infinitivo para referirse a un futuro inmediato, el profesor dice: «Hace calor/frío, VOY A abrir/cerrar la ventana», y lo hace a continuación. Luego sigue: «Estoy cansado, voy a sentarme», etc.
Para practicar los marcadores de tiempo, los estudiantes en parejas se preguntan qué van a hacer «esta tarde/esta noche/el fin de semana» /etc. A continuación el profesor pregunta a una pareja: «¿Qué va a hacer tu compañero/ a esta mañana/noche?» El estudiante responde. Si hay otros estudiantes que vayan a hacer lo mismo, aunque sea en otro momento, ellos mismo o sus compañeros lo dicen inmediatamente:
«Kevin va a ir al cine mañana»
«Yo voy a ir al cine esta noche»

Expresión de indiferencia, desconocimiento y duda
Disyuntivas (... o...)

Sole llama a su madre

Para practicar las oraciones disyuntivas «... o ...» y repasar vocabulario, el profesor explica que las oraciones disyuntivas son útiles para precisar información; como ejemplo, el profesor pregunta a un estudiante:
Profesor: «¿Qué te gusta más, la literatura o la música?»
Estudiante: «la música».

Profesor: «¿Música moderna o clásica?»
Estudiante: «moderna».
A continuación los estudiantes hacen preguntas al profesor o a otro estudiante. Este procura dar respuestas generales. Los demás tienen que conseguir información muy precisa:

Ejemplo: Clase: «¿Cuándo es tu cumpleaños?»
Prof./Al: «En verano».
Clase: «¿En julio o agosto?»
Prof./Al: «En agosto».

— De forma alternativa, se puede jugar al juego de los personajes. Un alumno piensa en un personaje famoso y los demás le hacen preguntas intentando averiguar de quién se trata. Las preguntas se tienen que formular dando sólo dos opciones: «¿Es hombre o mujer?». Sólo se pueden hacer 20 preguntas.
Al cabo de las 20 preguntas la clase tiene tres oportunidadees de acertar el nombre del personaje.
Para esta actividad hará falta ampliar el vocabulario. El profesor ayuda a los estudiantes con el vocabulario nuevo que necesiten.

Tienes la palabra:

2. Los estudiantes pueden continuar esta actividad proponiendo preguntas ellos mismos constituyendo dos equipos y estimulándoles como si fuera un juego.

Cajón de sastre

| **Hablar del tiempo** |
| **HACE (impersonal)** |
| **Las estaciones** |

¿Qué tiempo hace?

— Los verbos «metereológicos» no llevan sujeto pronominal ni de otro tipo, pertenecen a la categoría de impersonales.
Después de trabajar con el diálogo y el mapa:
— El profesor pregunta qué países conocen los estudiantes y sobre el tiempo que hace en ellos: «En Egipto en invierno no hace mucho frío, está nublado...»
— El profesor muestra fotos y los estudiantes describen el tiempo que hace:
«Está nevando, hace mucho frío,...»

actividades

1.

Antes de leer el texto, el profesor escribe en la pizarra y pregunta a los alumnos: «¿Dónde/cuándo te vas este año de vacaciones?» Los alumnos se hacen estas preguntas en pequeños grupos y una vez que han hablado del tema leen el texto. Si hay alguna palabra que no conocen o que no están seguros de su significado pueden discutirlo entre ellos y si tampoco la pueden adivinar por el contexto entonces preguntan al profesor.
Clave:
a) Luis quiere irse en julio o en agosto.
b) Tiene que hablar con su jefe.
c) Antonio se va dentro de quince días a México.
d) Va a estar todo el mes de julio.
e) (Luis se queda en España) No sabe si ir a la playa o a la montaña.

2.

Se puede empezar preguntando a los alumnos qué lugares de interés conocen en España, ya sean catedrales, iglesias, playas, museos, etc.
En grupos los alumnos organizan un viaje corto por España decidiéndose por un sitio determinado, cómo van a viajar hasta allí, dónde se van a alojar y otros detalles. Cada grupo elige a un portavoz que al final tendrá que exponer a los demás grupos sus planes.

Banco de datos para

«descubriendo»

El clima en España e Hispanoamérica

En España, por su situación en la zona templada del hemisferio norte, hay cuatro estaciones y su clima es marítimo en las costas y continental en el interior. Lluvioso en el norte, en Cantabria y País Vasco, y el noroeste en Galicia; en el resto las lluvias se producen sobre todo en otoño y primavera, aunque a veces hay largos períodos de sequía.
En Hispanoamérica, desde México hasta la Tierra de Fuego en Argentina, se dan todos los climas. En México, Centroamérica y Sudamérica, excepto el cono sur, Uruguay, Chile y Argentina, el clima es tropical o subtropical, y sólo hay dos estaciones, la lluviosa y la seca, muy caluroso todo el año si exceptuamos las zonas montañosas. En algunos picos de los Andes hay nieve todo el año.
En Uruguay, Chile y Argentina, por estar en zona templada hay cuatro estaciones, si bien por su situación en el hemisferio sur los meses de verano corresponden a los de invierno en España y Europa, los de primavera al otoño, etc.

> • **Préterito Perfecto**
> • **Justificarse: es que...**

Es que... ¡No he tenido tiempo!

— En este diálogo vemos que se utiliza el Pretérito Perfecto para hablar de hechos ocurridos en un pasado próximo.

SUGERENCIAS

Antes de abrir el libro:

Para presentar el uso del Pretérito Perfecto para acciones pasadas recientes el profesor dice: «¿Dónde vas a ir en verano/las vacaciones de Semana Santa/etc.?» Los estudiantes responden. El profesor escoge las respuestas más interesantes «Voy a hacer un safari/voy a ir a China,» etc. y comenta: «Yo no he estado en Kenya/China,/no he hecho safaris, etc», y pregunta a otros alumnos. «¿Y tú? ¿Has hecho...? ¿Has estado en...?»

Tienes la palabra:

1. El profesor hace preguntas como en el ejemplo, con situaciones reales de clase:
«¿Por qué no has hecho los ejercicios, David?» (estudiante responde: es que...)
«¿Louise, por qué no ha venido hoy tu amiga...?» (estudiante responde: es que...)

> **Pretérito Perfecto/
> Pretérito Indefinido**

¿Dónde has estado este verano?

— El Pretérito Perfecto indica una acción pasada y acabada en una unidad de tiempo que todavía no ha terminado. Se utiliza con marcadores temporales como: hoy, esta semana, este verano, este año... como se ve, hablamos de unidades de tiempo que no han terminado, pero la acción verbal sí ha terminado en el momento en que hablamos.
— El Pretérito Indefinido indica una acción pasada y acabada en el pasado. Se utiliza con marcadores temporales como: ayer, la semana pasada, el verano pasado.

SUGERENCIAS

Antes de abrir el libro:

Para presentar la diferencia de uso entre el Perfecto y el Indefinido, el profesor pregunta a la clase qué ha hecho últimamente:

(El lunes): «¿Qué habéis hecho este fin de semana?»
(El viernes): «¿Qué habéis hecho esta semana?»
Con cada estudiante el profesor escucha las respuestas («He ido al cine,...») y pregunta «¿Fuiste al cine el sábado o el domingo?». Así sucesivamente con varios alumnos.
Luego habla de sí mismo: «Este fin de semana he ido a.../he visto... El viernes fui a.../el sábado vi...», etc.

Cajón de sastre

> **Hablar de la salud.**
> **Acción empezada no terminada (Presente Continuo).**
> **Léxico de las partes del cuerpo**

El cuerpo humano

— El verbo «pasar (algo a alguien)» se conjuga como gustar. Se utiliza sobre todo para preguntar por el estado de ánimo o la salud.
— El verbo «encontrarse bien/mal» es reflexivo.
— El verbo «doler» se conjuga como gustar.

SUGERENCIAS

Antes de abrir el libro:

El profesor pide a tres alumnos que representen en mímica la escena del diálogo. La clase identifica la situación y el profesor introduce el vocabulario: «¿Qué le duele? Le duele la pierna». «¿Qué ha pasado? Se ha caído de la bici. Se ha roto la pierna».

actividades

1.

■ El profesor dice a los alumnos que miren los dibujos y que tapen las frases que hay debajo. Toda la clase intenta adivinar lo que le ha pasado a cada uno de estos personajes.

Clave:

— Antonio ha bebido demasiado.
— Pío ha aprobado el examen.
— Carlos se ha roto una pierna.
— Lola ha tomado demasiado el sol.

2.

Esta actividad se realiza en dos partes:
2.1. Mirando el primer dibujo, los alumnos dicen lo que tienen que hacer los Peláez, y el profesor les pide que memoricen el primer dibujo.
2.2. Se pasa al 2.º dibujo. El profesor hace notar a los alumnos que hay algunos cambios y les pregunta dónde están los personajes en el primer dibujo. Luego los alumnos se concentran en los personajes uno por uno y dicen lo que han hecho ya y lo que todavía no han hecho y después lo escriben.
El profesor les recuerda que usen «ya» y «todavía» según el caso.

Clave:

2.1.
Gonzalo tiene que

> apagar la tele
> recoger sus juguetes
> ducharse

Elena tiene que

> preparar las maletas
> hacer las camas
> cerrar las persianas
> ducharse

Juan tiene que

> fregar los platos
> cerrar la ventana
> ducharse

2.2.
Gonzalo

> ya ha apagado la tele
> ya se ha duchado
> todavía no ha recogido sus juguetes

Elena

> ya ha preparado las maletas
> ya se ha duchado
> todavía no ha hecho las camas
> todavía no ha cerrado las persianas

Juan

> ya ha fregado los platos
> ya ha cerrado la ventana
> todavía no se ha duchado

3.

— *Puente:*
En este contexto significa tomarse un día laborable entre 2 días festivos. (El 12 de octubre, *hacemos* puente, *tenemos* puente, *hay* puente).
— *Ajetreado:*
Quiere decir agitado, con mucho movimiento, aquí, mucho movimiento en las carreteras.
Festividad de la Virgen del Pilar
Se celebra el 12 de octubre. Es la patrona de Zaragoza y es fiesta nacional. Las *playas de Alicante* y la *sierra de Guadarrama* son lugares muy frecuentados por los madrileños para pasar sus vacaciones y días de descanso.
— *Carreteras nacionales:*
Son las que unen Madrid con los distintos puntos periféricos de España. Son: Nacional I: Madrid-Santander; Nacional II: Madrid-Barcelona; Nacional III: Madrid-Valencia; Nacional IV: Madrid-Sevilla; Nacional V: Madrid-Badajoz; Nacional VI: Madrid-La Coruña.

SUGERENCIAS

Se suscita el tema de los fines de semana largos o «puentes». Una vez leído el artículo y contestados las preguntas con V (verdadero) o F (falso), en grupos los alumnos hablan de lo que hace la gente los puentes en su país, dónde van, del tráfico, etc.

Clave:

1F/ 2V / 3V / 4V / 5F

Banco de datos para

«Descubriendo»

Muralistas mexicanos

Diego Rivera (1886-1957), José Clemente Orozco (1883-1949) y David Alfaro Siqueiros (1898-1974) fueron los máximos representantes del «muralismo» mexicano, y los primeros pintores iberoamericanos modernos de fama mundial. Representaron en sus murales temas nacionalistas, históricos y sociales. Algunas de sus obras más importantes están en el Palacio Nacional, en Ciudad de México.
David Alfaro Siqueiros. Pintor mexicano (Chihuahua, 1998-Cuernavaca, 1974). Cultivó aspectos sociales y perteneció a la escuela expresionista. Dejó patentes sus ideas revolucionarias en sus murales del Museo Nacional de Historia y de la Escuela Nacional Preparatoria de Guadalajara.
Oswaldo Guayasimín (Ecuador, 1919) es uno de los pintores que, influido por el muralismo mexicano, ha unido el «indigenismo», recuperando la estética y los valores culturales autóctonos, con la protesta social como tema principal.

Pintores Españoles

Dalí, Salvador.—(Figueras, 1904-1989). Pintor español, uno de los principales seguidores del surrealismo. Expone en Barcelona en 1925 y al año siguiente participa en la Exposición de Artistas Ibéricos de Madrid. En 1928 es captado por el surrealismo y se une a Gala Eluard, que será uno de los motivos de inspiración. Su obra, muy amplia, se encuentra en los principales museos de arte de todo el mundo. Tiene un museo exclusivamente dedicado a su obra en Figueras, visitado por personas de todo el mundo.

El Greco.—(Creta, 1541-Toledo, 1614). Pintor de origen griego que se formó en la escuela veneciana dominada por Tiziano. Después de una estancia en Roma pasó a España en 1575, y residió en Toledo en donde elaboró su obra más importante y característica. La muerte, la actitud mística y contemplativa de los santos, los misterios de la religión, son sus temas preferidos. Es especialmente famoso el Entierro del Conde de Orgaz.

Velázquez.—(Sevilla, 1599-Madrid, 1660). Se formó en Sevilla y a partir de 1623 se estableció en Madrid, donde se convirtió en pintor de la Corte de Felipe IV en 1627. Su obra es muy extensa. Sus obras más famosas son Las Lanzas, Las Hilanderas y, sobre todo, Las Meninas, que constituyen el gran compendio de su pintura: luz, espacio, ambiente, retratos, vida cortesana,...

> **Pretérito Indefinido regulares e irregulares**
> **Preposiciones: DESDE... HASTA..., A, EN, ENTRE...**

A. *Sospechosos*

— El principal problema de los Pretéritos Indefinidos es la abundancia de formas irregulares, de ahí la necesidad de insistir en su presentación y práctica.

SUGERENCIAS

Para ampliar vocabulario de verbos en Indefinido, el profesor cuenta una historia cualquiera pero sin detalles muy concretos.
Ejemplo:

Profesor	Estudiante	Respuesta del profesor
Ayer Carlos se levantó...	¿A qué hora se levantó?	A las 9
y desayunó...	¿Qué desayunó?	café con leche...
Luego salió y compró el periódico...	¿Qué periódico compró?	El Mundo
y se fue a pasear...	¿Adónde fue a pasear?	al parque
Después fue a casa de su amigo Miguel	¿Cómo fue a casa de M.?	en autobús
Carlos habló con M. de cosas...	¿De qué habló?	de música
y volvió a casa...	¿Cómo volvió?	en metro
y comió...	¿Qué comió?	chuletas...
	¿Comió solo?	sí
Por la tarde llamó a un amigo por teléfono...	¿A quién llamó?	a Vicente
y quedó con él para salir por la noche...	¿A qué hora quedó?	a las 10
	¿Dónde quedó?	en Pza. de España
	¿Qué hizo?	fue al cine
Llegó a casa muy tarde...	¿A qué hora llegó?	a las 3
y se acostó vestido.	¿Por qué se acostó vestido?	

> **Indefinidos**

B. *¡Vaya fiesta de cumpleaños!*

— Obsérvese la doble negación cuando el pronombre va detrás del verbo:
No me han regalado nada.
Nadie me lo ha dicho. No me lo ha dicho nadie.

Antes de abrir el libro:

Para presentar ALGO/NADA: El profesor muestra una bolsa con un objeto dentro y dice: «En esta bolsa hay ALGO. ¿Qué es?» Un alumno mete la mano (sin mirar) e identifica el objeto (un bolígrafo/encendedor, etc). Luego el profesor cambia de objeto y sigue con otro alumno:

Profesor ¿Hay algo?
Alumno: Sí, hay un/a...
Con el 4.º ó 5.º alumno el profesor no mete nada en la bolsa:
Profesor. ¿Hay algo?
Alumno: no, ...
Profesor: ¿No hay nada?
Alumno: No, no hay nada.
Para presentar ALGUIEN/NADIE el profesor muestra fotos:
Profesor: ¿Hay alguien en esta foto?
Alumno: (contesta)
Profesor: Mirad. En esta foto no hay nadie.
Para presentar la diferencia entre ALGÚN y ALGUNO el profesor recuerda a los alumnos el uso de UN/UNO:
Tengo UN hermano
¿Tienes hermanos? Sí, tengo UNO.

Cajón de sastre

Estar + adjetivo: personas y objetos

Pero... ¿qué te pasa?

— Hay que subrayar la oposición SER + adjetivo/ESTAR + adjetivo.
En el primer caso se trataba de cualidades más o menos permanentes. En el segundo caso son «estados» transitorios:
María es simpática. (rasgo de carácter)
María está preocupada.

actividades

1.

— *Encender la luz.* En lenguaje coloquial se dice también «dar la luz».
— *¡Qué despiste!* Expresión que indica una acción de alguien muy distraído. Se emplea mucho.
Ej: Me he traído el bolso de mi compañera. ¡qué despiste! ¡qué despistada!

SUGERENCIAS

El profesor explica que todos los dibujos están desordenados y que en parejas tienen que recomponer la historia. El profesor hace hincapié en que la historia que deben ordenar es lo que le pasó a Juan Rodríguez ayer. Por lo tanto, el tiempo que tienen que utilizar es el Pretérito Indefinido y toda la clase junta repasa los Indefinidos de estos verbos.

Clave: 5, 10, 8, 12, 7, 1, 11, 9, 2, 6, 3, 4.

Transcripción:

Esto es lo que le pasó a Juan Rodríguez ayer. Sonó el despertador, se despertó, encendió la luz, se levantó, se duchó, desayunó, se fue al trabajo, llegó a la oficina, no vio a nadie, miró el calendario «es domingo», volvió a casa y se acostó otra vez.

2.

Madonna: Louise Ciccone (1959 Michigan). Cantante norteamericana de música pop. En 1982 se dio a conocer y desde entonces ha aumentado su fama y es conocida internacionalmente.
¡Sí, mujer!
Se responde así cuando la contestación es muy evidente.
Transcripción:
— Pilar, ¿Tienes *algún* disco de Madonna?
— No, *ninguno.* ¿Por qué?
— Es que a mí me gusta mucho.
— ¿Sí? Pues a mí no me gusta *nada.*
— ¿Qué tipo de música te gusta?
— La clásica.
— Pero si la música clásica no le gusta a *nadie.*
— Sí, mujer. A *algunos* nos gusta.

Banco de datos para

«descubriendo»

Cantantes españoles e hispanoamericanos

MERCEDES SOSA.—Cantante argentina (S. Miguel de Tucumán, 1935).Obtuvo su primer éxito con el tema «Palomita del valle» y se consagró como cantante popular en 1967 en un festival. Su repertorio está compuesto por temas de Viglietti, Víctor Jara y Violeta Parra, entre otros, que combina con diversos ritmos como chacareras, zambas y guajiras con un estilo de honda raíz folclórica. «Gracias a la vida», «Serenata por la tierra de no» y «Como un pájaro libre», son algunas de sus más destacadas grabaciones. Ha actuado repetidamente en Hispanoamérica, Estados Unidos, Europa y Japón.

LOS CALCHAQUIS.—Conjunto de música tradicional hispanoamericana, fundado en París en 1959 por el argentino Héctor Miranda. Debutó con la grabación de un álbum, dedicado a las flautas indígenas. Entre su abundante discografía destaca: «Cantata mundo nuevo». «El canto de los poetas latinoamericanos», «Himno al sol», «Cantata para un hombre libre» y «Pueblos del Sur».

MECANO.—Grupo madrileño de música pop, que ha alcanzado gran renombre porque en sus letras recogen temas de la problemática de los jóvenes de hoy, con un estilo alegre y desenfadado. Sus títulos más conocidos son: «Maquíllate, maquíllate», «No hay marcha en Nueva York», «Mujer contra mujer», «El hijo de la luna», «Descanso dominical», etc.

JUAN MANUEL SERRAT.—Cantautor catalán, de Barcelona. Sus canciones actuales se caracterizan por una letra impregnada de poesía acerca de la vida cotidiana. Durante la Dictadura fue un artista comprometido con la lengua y la cultura catalanas. Suele cantar tanto en catalán como en castellano. Le ha puesto música a la poesía de Antonio Machado y Miguel Hernández. sus títulos más conocidos son «Mediterráneo», «La tieta», «La guitarra», «Campesina", «El Sur»...

JULIO IGLESIAS.—Conocido cantante madrileño de música romántica, afincado en Miami. Saltó a la fama con una canción titulada «La vida sigue igual» a finales de los 60 y desde entonces ha obtenido éxito tras éxito con canciones como «Bamboleo» «15 años».

Actualmente sus discos se venden en Estados Unidos, Rusia, Japón, Corea e incluso en la República Popular China.

ROCIO JURADO.—Cantante andaluza de música española, muy conocida en España y Latinoamérica.

Nota: en la canción de Silvio Rodríguez «Te doy una canción» se señalan en negrita aquellas frases que pertenecen a expresiones hispanoamericanas.

> **Proyectos y predicciones**
> **Futuro Imperfecto**
> **Decepción**

A. *¿Qué pasará?*

— Comprar la lotería de Navidad es una tradición muy arraigada en el pueblo español. El sorteo suele ser el 22 de diciembre y hay premios muy importantes. El «gordo» es el nombre que recibe el primer premio.
— «Estar en el paro» es la expresión que se usa para las personas que no tienen trabajo.
— ¡«Vaya»! y «¡Vaya por Dios!» expresan una ligera decepción y sorpresa a la vez. En general, el valor de ¡«vaya»! es muy amplio y viene dado por el contexto.

SUGERENCIAS

IR A + Infinitivo se usa más para expresar intención o futuro inmediato, y el tiempo Futuro para acciones futuras más lejanas o menos dependientes de nuestra voluntad. Por ejemplo, decir «Mañana saldrá el sol» suena más natural que decir «...va a salir...» porque esta acción no depende en absoluto de ninguna voluntad. De todas maneras, estas distinciones no siempre están claras.

> **Pronombres posesivos**
> **Comparativo** (más...que)
> **Demostrativos**

B. *En el aeropuerto, recogiendo el equipaje.*

— La principal dificultad de los pronombres posesivos radica en su género, que corresponde al de la cosa poseída, no al del poseedor:
«Aquella maleta es la suya (de Juan).»
— El uso del demostrativo «ese-a» indica la distancia media entre «este» y «aquel».

12 UNIDAD

SUGERENCIAS

Antes de abrir el libro:

Para presentar ESTE/ESE/AQUEL, los pronombres demostrativos y las oraciones comparativas:
El profesor pide a todos los alumnos su bolígrafo. Si hay muchos iguales los alumnos marcan el suyo de alguna forma. El profesor los pone todos encima de una mesa, incluido el suyo, y dice:
«Aquí están todos los bolígrafos. Este es EL MÍO».
Muestra otro bolígrafo a un alumno: «¿Es este el TUYO, David?» Alumno: No.
Profesor: «¿Cómo es el tuyo?»
Alumno: (contesta y recibe el bolígrafo).
Así ve van repartiendo los bolígrafos. Cuando queda la mitad, más o menos, los coloca en tres mesas que están en fila y el profesor se sitúa junto a una de ellas (no la del centro). Sigue preguntando a los alumnos cómo son sus bolígrafos, pero en vez de cogerlos con la mano, los señala.
«¿Es este/ese/aquel el tuyo?» Se refiere con «este» a los bolígrafos que están en la mesa más próxima, con «ese» a los de la mesa del centro, y con «aquel» a los de la más lejana. Los alumnos deben responder con el demostrativo adecuado para conseguir su bolígrafo: «Sí, es este/ese/aquel», utilizando el demostrativo adecuado según la posición que ocupa el propio alumno (que puede estar al lado del profesor o al lado de la mesa opuesta).
Para los comparativos, el profesor irá preguntando por las características de los bolígrafos: «¿El tuyo es más grande o más pequeño que éste?»

Cajón de sastre

Hablar por teléfono

 *Suena el teléfono y...*

Tienes la palabra:

Para una práctica más completa de las fórmulas utilizadas al teléfono, el profesor reparte a cada alumno una tarjeta de rol en la que figuran una serie de recados que hay que dar a varias personas y en qué teléfono se les puede localizar. A unos cuantos alumnos (aproximadamente una quinta parte del total) les da una tarjeta de «centralita», en la que aparece un número de teléfono y una lista de personas que están localizables en ese número. Cuando cualquier alumno diga en voz alta ese número, el alumno «operador» contestará y llamará a la persona buscada si ésta está libre (es decir, si no está hablando con otra persona).

actividades

1. —El cuento de La Lechera aparece ya en El Conde Lucanor o Libro de Patronio, obra de D. Juan Manuel (s. XIV) con el título de «Doña Truhana» y con algunas variantes se ha conservado hasta ahora.

—Pobre lechera
Este adjetivo antepuesto sirve para expresar «compasión», y no «falta de lo necesario para vivir», significado normal cuando va pospuesto «una lechera pobre».

SUGERENCIAS

Antes de poner la cinta el profesor pregunta a los alumnos hacia dónde creen que se dirige la lechera, en qué va pensando, si es rica o pobre, etc.
Los alumnos conocen las palabras «huevo» y «pollo», habrá que presentar «oveja» y «gallina».
Se pone la cinta una vez sin ninguna interrupción. La segunda vez se va parando para que los alumnos puedan copiar lo que oyen. Se puede poner un par de veces más si es necesario.
Una vez escritos los proyectos de la lechera los alumnos comentan si hay algún cuento parecido en su país, qué diferencias tiene con respecto a éste, etc.

Clave: A) La lechera venderá la leche y
      B) comprará una docena de huevos
      C) así tendrá primero pollitos y luego gallinas
      D) después venderá las gallinas
      E) y comprará ovejas
      F) será rica
      G) y vivirá en una bonita casa
      H) sus hijos y sus hijas se casarán con mujeres y hombres ricos.

Transcripción:

La lechera va al mercado para vender la leche de su cántaro. Por el camino va pensando:
«Venderé la leche y con el dinero compraré una docena de huevos, así tendré primero pollitos y luego gallinas.
Después venderé las gallinas y compraré ovejas… seré rica, viviré en una bonita casa. Mis hijos y mis hijas se casarán con mujeres y hombres ricos…»
Entonces, se dio con la mano en la frente y el cántaro se cayó y se rompió. La pobre lechera se quedó sin nada.

2.

En parejas los alumnos escriben una conversación telefónica entre el Sr. Fenández y la telefonista del Hospital Clínico.

El vocabulario y el estilo deben ser formales.

Una vez escrito, unas cuantas parejas lo pueden representar ante el resto de la clase.

3.

Utilizando nombres de plazas o calles de la ciudad donde vivan los alumnos hacen el ejercicio en parejas de forma oral y usando los adjetivos que se le proporcionan. El comparativo que conocen es el de superioridad: «más... que».

Ej.: La calle Lagasca es más tranquila que la de Guzmán el Bueno.

Banco de datos para

«descubriendo»

BOLIVIA, PARAGUAY, URUGUAY, CHILE, ARGENTINA

Bolivia: Capital, La Paz. Unidad monetaria: peso boliviano.
Paraguay: Capital, Asunción. Unidad monetaria: guaraní.
Uruguay: Capital, Montevideo. Unidad monetaria: peso uruguayo.
Chile: Capital, Santiago. Unidad monetaria: peso chileno.
Argentina: Capital, Buenos Aires. Unidad monetaria: austral.

Todos estos países tienen una organización política similar.

La lengua oficial es el español. En Bolivia se habla también el quechua y el aymará y en Paraguay es oficial también el guaraní.

Todos estos países son, en su mayoría, católicos, aunque en Argentina podemos encontrar una importante colonia de judíos y protestantes.

En Paraguay y Bolivia la agricultura es la base de la economía. Bolivia se encuentra, además, entre los principales países productores de estaño y en los últimos años se han explotado los yacimientos de petróleo.

En Uruguay la economía se basa en la ganadería, pero también hay agricultura y pesca.

En el caso de Chile, su principal recurso es la explotación minera, se encuentra entre los primeros países productores de cobre del mundo. Tiene además, importantes depósitos de nitrato y yacimientos de petróleo y gas natural.

Finalmente, en Argentina la ganadería constituye la principal fuente de riqueza: más de la mitad de la superficie del país está ocupada por pastos y prados permanentes.

En cuanto a las razas, Argentina está habitada por una mayoría blanca, descendiente de españoles e italianos. En Bolivia, una inmensa mayoría de sus habitantes es india.

Pretérito Imperfecto
Acciones habituales en el pasado
Describir en el pasado

Cuando yo era pequeño

— Se presenta el Pretérito Imperfecto en dos de sus valores fundamentales: el habitual y el descriptivo. El primero aparece con el marcador temporal «(antes), todos los días». Para comprender el segundo hay que imaginar un pasado no definido, expresado por «antes».
— Es normal la celebración de fiestas y bailes al aire libre, sobre todo en primavera y verano, y no sólo en los pueblos, sino también en las ciudades.

SUGERENCIAS

Antes de abrir el libro:

Para introducir el concepto de pasado durativo o habitual, el profesor puede preguntar a los estudiantes si realizan actividades o creen en hechos que no corresponden a su grado de madurez, como por ejemplo: «Kevin, ¿crees en Santa Claus?
—No, claro que no.

A continuación el profesor pregunta: «¿Y antes? ¿Cuándo eras pequeño/a? ¿CREÍAS?» El profesor pregunta a la clase qué cosas HACÍAN antes y ahora no hacen. Los alumnos al principio quizá se resistan a contar cosas pueriles, pero en cuanto se animen dos o tres el resto los seguirá. El profesor va apuntando en la pizarra la respuesta, traduciendo al español cuando haga falta y subrayando los verbos en imperfecto.

Marcadores de frecuencia

En la consulta del médico

— «Hacer ejercicio»: se sobreentiende el adjetivo «físico».
— «mucho» tiene valor de cantidad en «¿fuma Vd. mucho?, pero de frecuencia en «salgo mucho de noche», equivale a «muchas veces».

Para practicar los marcadores de frecuencia y ampliar vocabulario: El profesor propone hacer una encuesta en clase para comprobar hasta qué punto conocen los alumnos a sus compañeros. Se trata de predecir con qué frecuencia los compañeros de clase, en conjunto, realizan ciertas actividades. El profesor escribe en la pizarra las preguntas del cuestionario: ¿Con qué frecuencia...

1   ...dices mentiras?
2   ...vas a la discoteca?
3   ...lloras con una película triste?
4   ...lees el mismo libro dos veces?
5   ...hablas con tu padre/amigos/pareja
    de tus cosas con sinceridad?

Frecuencias:

a.—casi todas las semanas
b.—a menudo
c.—a veces
d.—casi nunca

Cada alumno anota en un papel sus propias respuestas al cuestionario (todos deben contestar sinceramente; la encuesta es anónima), y lo entrega al profesor. A continuación este pregunta a los alumnos cuál creen que será la media de respuestas para cada pregunta. Los alumnos contestan de acuerdo con la opinión que tienen de sus compañeros. El profesor anota en la pizarra las previsiones mayoritarias. A continuación lee todos los papeles y saca las medias de las respuestas, según la clave siguiente: a = 4, b = 3, c = 2, d = 1; se suman los puntos obtenidos por cada pregunta y se divide el total por el número de alumnos que han contestado. Si resultan fracciones, se redondea al número más próximo: 3,8 = (a menudo). El profesor interpreta los resultados: «decís/ la clase dice mentiras a menudo, etc.» y se contrastan los resultados con las previsiones.

C. Cajón de sastre

Expresiones de alegría, tristeza, fastidio, alivio

Reacciones

— La expresión de fastidio «¡Qué rollo!» es utilizada especialmente por un sector determinado de hablantes, los jóvenes, pero se utiliza tanto que se hacía necesario incluirla.

SUGERENCIAS

La mayoría de las expresiones presentadas en esta sección son exclamativas con «¡Qué...!» Puede ampliarse el vocabulario presentando exclamativas del mismo tipo con otros adjetivos. Para ello, después de trabajar con los diálogos, el profesor explica que va a decir cosas exageradas y pide a los alumnos que reaccionen con exclamativas:
Profesor: Esta chaqueta me ha costado... (una cantidad ridícula o exorbitante). Alumno: ¡Qué cara/ barata!
Después de unos cuantos ejemplos puede continuar otro alumno diciendo disparates y la clase reacciona con exclamaciones.

actividades

1.

En parejas los alumnos se hacen las preguntas de la encuesta y responden marcando con una cruz la casilla correspondiente. Si se quieren sacar conclusiones de la encuesta, una vez que los alumnos hayan terminado, el profesor irá preguntando los resultados a los alumnos y apuntándolos en la pizarra.

Por ejemplo: 1) «¿Con qué frecuencia coméis fuera de casa? ¿Cuántos de vosotros coméis siempre fuera de casa?», etc.

Los alumnos levantan la mano y el profesor los cuenta. Esta segunda parte puede servir también de comprensión auditiva. Más tarde los alumnos escriben en su cuaderno las conclusiones.

Ejemplo: «Muchos alumnos (10) comen fuera de casa todos los días», etc.

2.

—«*Me pasaba* diez horas en la oficina», aquí *pasaba* es sinónimo de estaba.

—«*Como* no tenía tiempo», *como* tiene valor causal, es igual a porque. Hay que tener en cuenta que con este valor sólo puede ir delante de la oración principal.

—«*Estaba siempre fumando*» o estaba fumando siempre.

Los alumnos cierran los libros y el profesor les dice que les va a leer la historia de una chica a la que le da un infarto.

Después de la primera lectura el profesor les pregunta qué han entendido. Entre toda la clase tal vez puedan reconstruir más o menos la historia.

A continuación los alumnos abren los libros y el profesor vuelve a leer el texto.

En parejas y por turnos los alumnos se hacen las preguntas mirando el texto. Como consolidación pueden escribir las respuestas en sus cuadernos.

3.

Todos los alumnos miran el dibujo durante un par de minutos. El profesor hace una serie de preguntas, como por ejemplo: «¿Creéis que la gente usaba paraguas en la Edad Media?»

— Sí,
— No, no.
Clave:
— En la Edad Media la gente no usaba paraguas.
— En la Edad Media la gente no fumaba.
— En la Edad Media la gente no leía el periódico.
— En la Edad Media la gente no bailaba el rock.
— En la Edad Media la gente no escribía a máquina.
— En la Edad Media la gente no compraba en supermercados.
— En la Edad Media la gente no jugaba al fútbol.
— En la Edad Media la gente no tomaba café.
(Excepciones: La gente sí bebía cerveza, y escribía con pluma de ave.)

Banco de datos para

«Descubriendo»

México, D. F.

Al parecer, la Ciudad de México fue fundada por los aztecas hacia el año 1176, con el nombre de Tenochtitlán, sobre una isla del lago Texcoco y se convirtió en capital del imperio en 1325. De 1517 a 1521 fue conquistada por los españoles bajo el caudillaje de Hernán Cortés. Pasó a capital del Estado de México en 1824.

Actualmente es una gran urbe con más de 20 millones de habitantes. En ella se encuentran numerosas industrias del papel, textil, de orfebrería, siderurgia, del vidrio, del metal, tabaco, etc. Es un gran nudo ferroviario y de carreteras y disfruta de un moderno tren subterráneo. Por otro lado, son dignos de visitar los numerosos monumentos de estilo colonial (barroco): la Catedral, el Panteón, la Universidad..., así como los restos de cultura azteca, cerca de la ciudad.

Tienes que/Hay que Se puede/ No se puede...

Quiero matricularme

Con la forma impersonal «hay que» expresamos una obligación general, una norma social, en cambio con la forma conjugada («tienes que...») la obligación sólo afecta a la persona con quien hablamos.

SUGERENCIAS

Antes de abrir el libro:

Para presentar el contraste entre HAY QUE/SE PUEDE/NO SE PUEDE, el profesor muestra señales de tráfico u otros símbolos típicos de carteles indicativos (prohibido fumar, obligación de llevar perros con correa, etc.). Escribe en la pizarra los verbos nuevos que se puedan utilizar (adelantar, tocar el claxon, etc.). Cada vez que muestra una señal, dice el verbo correspondiente en Infinitivo, y luego la frase entera:
Profesor: «Adelantar... No se puede adelantar».

Oraciones condicionales I. Ausencia de obligación, de necesidad. Pronombres átonos de O. Indirecto y O. Directo

Miguel y Charo salen a cenar

—«¡Bah! ¡da igual!» sirve para quitar importancia a un asunto.
—Un «asador» es un restaurante en el que la especialidad es la carne asada, hecha con carbón, casi siempre.
—«No hace falta» es la fórmula empleada habitualmente para «no es necesario».
—«¡Que va!» fórmula para negar con efusión.

SUGERENCIAS

Para practicar oraciones condicionales y repasar el tiempo futuro, el profesor o un alumno cuenta sus planes para un viaje, un día de campo o una fiesta. La idea es que los planes sean muy ambiciosos. La clase debe interrumpir, planteando inconvenientes o reservas (condiciones). Ejemplo:

Alumno/Profesor	Clase
Iremos al campo...	Si llueve no podemos ir.
Bueno, iremos si no llueve y montaremos a caballo...	...si hay caballos en el campo.
Sí, montaremos si hay caballos, y luego...	

Se presentan los pronombres personales de objeto indirecto para que los alumnos comprendan el paradigma y sepan reconocerlos en un texto. Sin embargo, no es de esperar que lleguen a utilizarlos correctamente en primer curso sin muchas dificultades y mucha práctica. Es mejor limitarse a un primer contacto y trabajar con estos pronombres más intensamente en 2.º curso.

C. Cajón de sastre

Léxico de deportes

¡Contamos contigo!

—«Estar en forma» es una expresión y significa «estar en buenas condiciones físicas»
—Obsérvese que casi todos los nombres de deportes conservan su forma original, en inglés, francés o japonés, otros se han adaptado al español ligeramente.

SUGERENCIAS

Dado que esta sección está dedicada a ampliar el vocabulario de deportes, hay que saber de antemano cuántos alumnos están interesados y hasta qué punto, en este tema. Si hay suficiente interés, el profesor puede presentar más nombres de deportes y artículos deportivos (todos aquellos deportes practicados por los alumnos).
También puede preguntar a los alumnos sobre competiciones internacionales, campeones famosos/as, etc., repasando así contenidos diversos.

actividades

«Caerse de viejo» o «caerse a pedazos» se refiere a las cosas que están muy estropeadas, muy usadas.

SUGERENCIAS

1.

Los alumnos leen el texto en parejas y subrayan las palabras que no entienden. Todas las parejas hacen lo mismo y cuando acaban preguntan en voz alta el significado de las palabras que no conocen; si hay otra pareja que sí lo sabe se lo dice y así sucesivamente. Sólo se recurrirá al profesor si entre toda la clase no han podido adivinar el significado de algunas palabras.
A continuación contestan las preguntas.

Clave:

1. Hay que practicar mucho.
2. Un poco.
3. (Va a) hacer fotos y vender el coche.
4. No (tendrá que vender muchas fotos, reparar el coche...)
5. (Tiene que) repararlo.
6. (Que) está loco.
7. ... y tú no lo tienes (dinero) pero lo tendré (dinero).
No lo sé todavía (para un periódico).
Si les gustan (a ellos).
Y, las haré (muchas fotos).
¿lo vas a vender? (mi coche)
y a quién se lo (quién/coche)
si quieres venderlo (mi coche)
tienes que repararlo (mi coche)
pero puedo repararlo yo (mi coche)
y si lo reparo (mi coche)

2.

—«*Fueron*»: significado especial del verbo ser, equivale a «se celebraron» o «tuvieron lugar». Se emplea con frecuencia en la lengua hablada (¿Dónde o cuándo fue la boda?).
Fue en Corea, en Barcelona.

SUGERENCIAS

Antes de escuchar la cinta los alumnos deben leer las preguntas y comprenderlas. Si tienen alguna duda le preguntan al profesor. Se pone la cinta sin parar y se pregunta a los alumnos que digan lo que han entendido, alguna frase, palabra, etc.
Se vuelve a poner parándola después de cada respuesta para que el alumno tenga tiempo de escribirla.
Por último se vuelve a poner para comprobar las respuestas.

Clave:

1. En el 1985 y 1987.
2. Corea, Estados Unidos, México, Alemania, Turquía y España.

3. A los dieciséis años (relativamente tarde)
4. Come ensaladas, filetes, fruta. Para la Olimpiada de seis a siete horas.
5. Sus fines de semana eran (los pasaba) en el gimnasio.
6. Va a empezar tercero de Derecho y da clases de Tae-kwondo a niños y a jóvenes.

Transcripción: entrevista a Coral Bistuer. Actividades Unidad 14.
Entrevistamos esta tarde a la campeona del mundo de Tae-kwondo, Coral Bistuer:
—Coral, buenas tardes. ¿Has ganado dos campeonatos del mundo de Tae-kwondo? ¿Cuándo fueron?
—Mi primer campeonato del mundo fue en Corea en 1985 y el segundo fue en Barcelona en 1987.
—¿Qué países son los mejores en Tae-kwondo?
—Los países más peligrosos son Corea, que es el país natal del Tae-kwondo, allí es el deporte nacional, Estados Unidos, México, Alemania, Turquía y por supuesto España.
—¿A qué edad empezaste a practicar Tae-kwondo?
—Yo empecé a los dieciséis, relativamente tarde. Por casualidad abrieron un gimnasio debajo de mi casa y enseguida empecé a competir.
—Antes de algún campeonato ¿Qué comes?
—Una ensalada, un filete chiquitito, fruta...
—¿Cuántas horas entrenas antes de una competición?
—Bueno, depende. Para la Olimpiada, del orden de seis a siete horas diarias, sábados y domingos incluidos.
—¿Cómo eran tus fines de semana? (en la cinta la pregunta es: ¿Ha cambiado mucho tu vida el Tae-kwondo?)
—Mis fines de semana eran en el gimnasio. Mis vacaciones eran con el equipo.
—¿Qué haces aparte de dedicarte al Tae-kwondo? (En la cinta: ¿Tienes otras ocupaciones aparte del deporte?)
—Voy a empezar tercero de Derecho, doy clases de Tae-kwondo a niños y a jóvenes...

3.

Siguiendo el estilo de la entrevista anterior, en parejas el alumno A hace de entrevistador y el B de entrevistado. Si lo desean pueden improvisar las preguntas y las respuestas sobre la marcha pero queda mejor el ejercicio si de antemano A y B se preparan las preguntas y las respuestas según quien sea el deportista famoso.

**Pretérito Imperfecto/
Pretérito Indefinido
Narrar un suceso**

¿Qué pasó?

Se introduce la forma perifrástica «estar + Gerundio» en pasado porque es la más habitual en este tipo de frases, que indican acción durativa interrumpida por otra. Pero hay que tener en cuenta que no todos los verbos admiten esa perífrasis, como se indica en el cuadro que sigue al diálogo.

El uso de estas dos formas verbales (Pret. Imperfecto/Pret. Indefinido) es una de las principales dificultades del español!. Con su presentación en este apartado sólo se pretende que el alumno comprenda una de las posibilidades de combinación de estos dos tiempos. No se puede exigir, por tanto, que aprendan a narrar en esta etapa.

SUGERENCIAS

Antes de abrir el libro:

Para presentar la perífrasis ESTABA + Gerundio:
El profesor piensa en un acontecimiento reciente ocurrido en la ciudad o el país (o en cualquier parte del mundo si es suficientemente conocido) o pide a los alumnos que recuerden algún acontecimiento que les conmovió. A continuación les pregunta: «¿Dónde estabas? ¿Qué ESTABAS HACIENDO?» El profesor ayuda a los alumnos con las respuestas, y da ejemplos de lo que estaba haciendo él mismo, si hace falta: «Yo estaba durmiendo». Apunta en la pizarra los verbos que van surgiendo en la forma ESTABA + Gerundio.

Comparativos

¡De viaje!

—«¡fatal!» equivale a «muy mal» y es una expresión muy usada.

SUGERENCIAS

Para practicar las comparaciones después de trabajar con el diálogo: el profesor hace preguntas a un alumno sobre cualquier tema, siempre que la respuesta previsible sea susceptible de comparaciones:
¿Cuánto...? ¿Con qué frecuencia...? ¿Has... mucho? ¿Hablas español bien? ¿Te gusta... mucho o poco? etc.

Después de cada respuesta del alumno, el profesor pregunta a otro alumno: ¿Y tú? El alumno debe responder comparándose con el alumno anterior. Si hay alguna respuesta que suscita interés, el profesor la explota más, pidiendo a varios alumnos que hagan comparaciones.

Cajón de sastre:

Biografías

— «De facto», expresión latina que equivale a «de hecho» y quiere decir que, aunque Evita no fue nombrada nunca oficialmente ministra, ejercía las funciones de un ministro.

SUGERENCIAS

Antes de abrir el libro:

Para introducir vocabulario propio de biografías, el profesor pregunta qué saben los alumnos de algún personaje famoso. Ayuda con las respuestas, especialmente los verbos (nacer, morir, etc), y escribe los verbos en la pizarra en Indefinido.

actividades

1.

Hacienda
En Hispanoamérica significa finca o propiedad de gran extensión.

SUGERENCIAS

Para introducir el tema el profesor pregunta a los alumnos si les gusta viajar en avión, si lo consideran un medio de transporte inseguro, si les da miedo, etc. Los alumnos leen la noticia y entre ellos intentan aclarar las dudas que puedan tener con el vocabulario, si no lo logran preguntan al profesor.
El profesor va preguntando a los alumnos y entre todos reconstruyen la noticia. A continuación escriben las respuestas en sus cuadernos, las comprueban con las de sus compañeros y se leen en voz alta para ver si todo el mundo está de acuerdo.

Clave:

1. Cayó en la selva amazónica.
2. Murieron trece personas.
3. A causa de la vegetación.
4. El agua.
5. Uno de los viajeros descubrió un río.
6. Fueron rescatados.

2.

El profesor empieza diciendo que van a leer una historia muy peculiar pero verídica. Los alumnos miran las fotos y dicen de quién creen que se trata: de un delincuente, un fugitivo, etc.
El profesor lee en voz alta las preguntas y explica dudas que los alumnos puedan tener. Estos en parejas deben intentar adivinar el significado de las palabras que no conocen deduciéndolo del texto. Se hace hincapié en que sólo deben interesarse por el vocabulario que van a necesitar para contestar las preguntas.

Clave:

a)   16 años: 2 (1963-64) + 6 (1965-71) + 8 (1973-81)
b)   2 veces
c)   El 19 de junio de 1981. En 1981
d)   2 hijos
e)   Robos y atracos
f)   Estudió el Bachillerato y una carrera, escribió libros, etc., se hizo abogado y escritor.

Los alumnos de forma individual escriben lo que más les ha interesado o llamado la atención de la vida de Eleuterio Sánchez. Y en grupos con la ayuda del profesor hablan sobre este personaje tan curioso y opinan sobre esto. Se puede suscitar el tema de cualquier otro personaje peculiar que ellos conozcan.

Banco de datos para

«descubriendo»

Los Fusilamientos del 3 de mayo.Fue pintado por Goya en 1814 por encargo del Rey Fernando VII. Representa a unos soldados de Napoleón fusilando a unos rebeldes españoles. Es una obra capital de la producción de Goya, de expresionismo moderno: deforma la realidad para intensificar el valor de lo representado.

PICASSO.—Pablo Rúiz (Málaga, 1881- Mougins, Francia, 1973). Pintor, grabador, escultor y ceramista español. Estudió dibujo y pintura en Barcelona. En 1900 publica sus primeras ilustraciones. Al año siguiente comienza su «época rosa», que crea un lenguaje más duro. Este estilo expresionista conduce a «Las señoritas de Aviñón», preludio de la etapa cubista, donde revelaría lo mejor de su genio y constituye el grueso de su obra.

El «Guernica» fue pintado en 1937, en plena Guerra Civil española. Fue un encargo del gobierno de la República española para ser presentado en la Exposición Universal que se celebró en París en aquel año. Guernica es un pueblo vasco que fue bombardeado y destruido por el ejército alemán, aliado del General Franco. Además, tiene un árbol (un roble) alrededor del cual juraban los reyes respetar los fueros (leyes) por lo que constituye un símbolo de las libertades vascas.

La pintura de Picasso revela en sí misma un nuevo expresionismo que da testimonio de las violencias de su tiempo.

JUAN CARLOS I y SOFIA DE GRECIA son actualmente los Reyes de España. Juan Carlos es hijo de D. Juan de Borbón y nieto de Alfonso XIII. En 1969 aceptó, con el título de Príncipe de España, la designación hecha por Franco como sucesor a la jefatura del Estado. En 1975, a la muerte de Franco, fue proclamado Rey de España.

Los Reyes tienen tres hijos, el heredero, el príncipe Felipe y las infantas Elena y Cristina.

TEST 1
UNIDADES 1, 2 y 3

1. Completa:

a. A. ¿Qué *haces*?
   B. Soy azafata.

b. A. ¿*Sois* colombianos?
   B. No, *somos* salvadoreños?
   A. ¿Y *trabajáis/vivís* en España?
   B. No, *trabajamos/vivimos* en S. Salvador.

c. A. Buenos días, ¿cómo *está usted*?
   B. Muy bien, gracias.

d. A. ¿Cómo *te llamas*?
   B. Carmen, ¿y tú?

e. A. ¿Vd. *es* economista?
   B. No, *trabajo* en un banco.

f. A. ¿Dónde *trabajan* Vdes.?
   B. *Trabajamos* en una compañía aérea.

2. Completa con SER/ESTAR:

a. Este piso *es* bastante grande.

b. La cocina *está* al fondo del pasillo.

c. Los sillones *son* bastante bonitos.

d. A. ¿Dónde *están* mis libros?
   B. Aquí.

e. Estos zapatos *son* muy incómodos.

f. A. ¿Dónde *está* el teléfono?
   B. Al lado de los libros.

g. A. ¿De dónde *son* Udes.?
   B. De Buenos Aires.

h. Mi casa *es* muy calurosa.

i. María *es* estudiante.

j. Andrés y Antonio *están* en la cocina.

3. ¿Dónde está el gato?

a. *debajo* de la mesa.
b. *al lado de* los zapatos.
c. *encima de* la cama.
d. *dentro del* armario.
e. *debajo de* la silla.
f. *en* la estantería.

4. Escribe el piso:

	Piso	Puerta	
a.	3.°	3.ª	tercero tercera
b.	5.°	A	quinto A
c.	7.°	B	séptimo B
d.	3.°	dcha.	tercero derecha
e.	1.°	1.ª	primero primera
f.	4.°	2.ª	cuarto segunda
g.	2.°	izda.	segundo izquierda
h.	9.°	5.ª	noveno quinta

5. Escribe el número:

a.	nueve	9			
b.	quince	15	g.	once	11
c.	doce	12	h.	catorce	14
d.	diez	10	i.	veinte	20
e.	ocho	8	j.	siete	7
f.	dieciséis	16	k.	diecinueve	19

6. Completa:

Mi *casa* es bastante grande. Tiene cuatro *dormitorios*, un *comedor*, un cuarto de baño y la *cocina*. En mi dormitorio tengo una *cama*, una *mesita* de noche, una *mesa* para estudiar y dos *estanterías* con libros. En el comedor tenemos una *mesa*, seis *sillas* y dos *sillones* muy cómodos.

TEST 2
UNIDADES 4, 5 y 6

2. Completa con los verbos IR, VENIR, COGER, BAJARSE, ABRIR, CERRAR:

a.   ¿Cómo *voy* a tu casa, en metro o en autobús?

b.   Los bancos *abren* a las 9 de la mañana.

c.   Te *bajas* en la tercera parada.

d.   *Coges* la primera a la derecha.

e.   Las tiendas *cierran* a las 8 de la tarde.

f.   ¿*Vienes* esta tarde a mi casa?

3. Completa con HAY o ESTA:

a.   Al lado de la farmacia *está* mi casa.

b.   En el centro de la ciudad *hay* una plaza.

c.   El museo de Sorolla *está* en la c/. Martínez Campos.

d.   En mi barrio *hay* un hospital.

e.   Cerca del estanco *hay* una parada de autobús.

f.   Correos *está* en la Plaza del País Valenciano.

4. Sigue el modelo:

A.   No hay bocadillos de queso.
B.   *Ponga* uno de jamón.

a. A.   ¿Cómo voy a tu casa?
B.   (COGER, tú) *coge* el autobús 5.

b. A.   ¿Te puedo ayudar?
B.   Sí, (PONER, tú) *pon* los libros en la estantería.

c. A.   Hay mucho ruido, (CERRAR, Vd.) *cierre* la ventana.

d. A.   ¿Cómo se va a Galerías Preciados?
B.   (SEGUIR, Vd.) *siga* todo recto y luego (COGER, Vd.) *coja* la primera calle a la derecha.

5. Relaciona:

a. ¿Qué quieren tomar? — Son 2.800 ptas.

b. ¿Qué quieren de beber? — Sí, ¿qué hay?

c. ¿Quieren algo de postre? — Sopa o entremeses.

d. ¿Qué van a tomar de primero? — Ponga dos cafés

e. ¿Cuánto es? — Vino y agua mineral.

6. ¿Cómo son?

D.2	D.3	D.4	D.5
Andrés	Cristina	Carlos	Lali

a.   Andrés es *alto, moreno, delgado*. Tiene el pelo *largo* y *liso*. Es *simpático*.

b.   Cristina es *baja, delgada, rubia*. Tiene el pelo *corto* y *liso*. Es *seria*.

c.   Carlos es *alto, gordo, moreno*. Tiene *bigote*.

d.   Lali es *rubia*. Tiene el pelo *corto* y *rizado*. Es muy *simpática*.

UNIDADES 4, 5 y 6 (Cont.)

6. Escribe los nombres de tu familia en este árbol:

Y haz frases: Mi abuelo se llama...

a.

b.

c.

d.

e.

TEST 3
UNIDADES 7, 8 y 9

1.

a.	botella	d.	litro
b.	docena	e.	kilo
c.	lata	f.	gramos

2.

B. Buenas tardes.

F. Buenas tardes, señor, ¿qué desea?

D. Una chaqueta negra.

A. ¿De qué talla?

I. De la 48.

C. Aquí tiene, la talla 48.

H. No está mal, pero prefiero una más estrecha.

E. Esta azul es más estrecha, pero es más cara.

G. Es muy elegante. Bueno, sí, me la llevo.

3.

(hacer)	estás haciendo
(oír música)	estoy oyendo música
(ver la tele)	está viendo la tele
(cenar fuera)	están cenando fuera
(hacer nada)	estoy haciendo nada
(esperar a unos amigos alemanes)	estoy esperando

4.

5.

6.

1. van a cenar
2. van a casarse
3. va a escribir una carta
4. va a ducharse
5. va a ver la tele
6. van a jugar al tenis
7. van a bañarse
8. va a comprar un helado

TEST 4
UNIDADES 10, 11 y 12

1. Hemos perdido el avión. Llegaremos mañana

a. he estado .. he ido
b. ha salido. Volverá.
c. has llegado. Has oído.
d. habéis hecho
   estuvimos
e. has escrito. Las escribiré.

2.

a.	ningún	d.	nada
b.	alguien	e.	alguna
c.	algo		ninguna

3.

¡Diga! ———————————— Gracias
¿Es el 419 22 08? ———— Hola, ¿está Manolo?
Ahora se pone —————— No lo sé
¿Está Jaime? —————— No. Se ha equivocado de n.º
¿Cuándo volverá? ——— No. Ha salido

UNIDADES **10, 11 y 12** (Cont.)

4.

a. es.

b. estoy... es.

c. está.

d. es... está.

5.

Juan tiene fiebre.

¿Te duele el estómago?

Juan se ha caído de la bicicleta.

Me he roto un brazo.

6.

a. Esta chica........ agencia de viajes.

b. Esa chica........ piscina.

c. Aquel señor........ tienda.

d. Aquellos niños........ playa.

e. Ese señor........ negocios.

f. Estos niños........ parque.

7.

a. tuyo

mío. mi.

b. su

suya

mía.

c. suyas

mías

d. nuestros.

TEST 5
UNIDADES **13, 14 y 15**

1.

a. Si estudias poco, no aprobarás el examen.

b. Si terminas de trabajar temprano, llamarás por teléfono.

c. Si comes mucho chocolate, engordarás.

d. Si hace buen tiempo, irás a la playa.

e. Si vas a Estados Unidos, aprenderás inglés.

2.

3.

4.

VER

a. veía

b. estaba viendo

c. vi

HABLAR

c. estábamos hablando

b. hablamos

f. hablábamos

SER

g. era

h. fue

i. era

ESTAR

j. estuviste

k. estaba

l. estabas

5.

Juan tiene más hermanos que Isabel.

Juan es mayor que Isabel.

Juan trabaja tanto como Isabel.

Juan gana menos que Isabel.

6.

a. nacieron

b. detuvo

c. nos conocimos

d. murió

e. robó

f. tuve

g. se casó

h. volvió